A corta distancia

COLECCIÓN NARRATIVAS ARGENTINAS

GLORIA LENARDÓN

A corta distancia

EDITORIAL SUDAMERICANA
BUENOS AIRES

Diseño de tapa: María Chimondeguy / Isabel Rodrigué

IMPRESO EN LA ARGENTINA

Queda hecho el depósito
que previene la ley 11.723.

Humberto I 531, Buenos Aires.

ISBN 950-07-0975-9

A la memoria de Mateo Pavlinovic

“Se asomaba uno por la ventanilla y
buscaba en vano las cumbres.”

I

En eso estaban de acuerdo: habían trabajado demasiado. Habían trabajado con una fuerza similar a la que tenía el verano por esos días. Pero las cañas de bambú pintadas a bandas amarillas y azules quedaron por fin firmes en la tierra. Ninguno de los trabajadores de la comuna, pero ninguno, tenía ya en cuenta el sudor por haber cavado los hoyos, cincuenta y cuatro en total, a lo largo de las tres calles céntricas. Volvieron a contar las cañas: estaban ahí y sobresaltaban los ojos; sobre la calle la mirada se deslizaba de otra manera.

El Mudo alzó la cabeza. Era el más feliz. Feliz, feliz, con una felicidad que le iluminaba la boca inútil y lo hacía saltar sobre la tierra removida.

Pero las cañas últimas necesitaban los arcos de luces; la chata, a un costado, había sido olvidada, olvidada como sólo se olvida en ocasiones: ante un momento único. Nadie parecía tener en cuenta que el atardecer estaba a un par de horas de distancia. ¿Es que no darían la orden para las luces? Nadie para colocarlas. Nadie. El más entregado al olvido era el Mudo, puesto a mirar las cañas, sobre todo cómo se alargaban, con las bandas últimas de un azul brillante tocando el cielo igualmente azul. No tenía por qué ruborizarse por la ocurrencia pero le pareció que iban a arrancarse del suelo para salir a navegar persiguiendo aquellas estrellas ocultas por el resplandor del sol.

¡Toc, toc! El toc, toc rayó apenas el ensimismamiento de la calle pero fue suficiente para que el Mudo mirara en la dirección correcta. Detrás de una ventana de un primer piso, tres chicos en exceso flacos, con edades muy parecidas, le hacían señas. Golpeaban un caballito de cartón con unas espadas de madera y luego las blandían orientándolas hacia la ventana. ¿Querrían atravesarla y saltar a la calle? El Mudo pensó que ese entusiasmo podía deberse a que sabían lo que le pasaría esa noche. De una manera casi prodigiosa trepó por la pared hasta tomarse de las salientes del balcón; oía las voces de los chicos pero no podía verlos, ocupado en sostener su cuerpo en esa posición peligrosa; el deseo de acercarse a ellos era tan grande que balanceaba sus piernas exageradamente, las balanceaba para obligar a sus fuerzas a actuar de inmediato, y poder así verse empujado adentro del balcón.

—¡El Mudo sube! ¡El Mudo sube! —gritó el mayor de los tres chicos, señalándolo con la espada, pasmado de sorpresa. Se había acercado a la ventana abierta al balcón y desde allí miraba las manos aferradas a uno de los pilares.

—¡Vení aquí! —el tono de voz no había sido excesivo, a duras penas la mujer que desdoblaba un vestido componía la dignidad del que está para controlar. El chico se apartó un poco pero inclinó su cuerpo de manera tal que los movimientos del Mudo, cada vez más cercanos, le llegaban minuciosos:

—¿Lo ves? ¿Lo ves? —aferró un brazo de su

hermano y lo agitó como una ramita suelta—. Quiero que lo veas.

Con las cabezas alcanzadas por la luz de afuera que llegaba franca hasta ahí, olvidando a la mujer lejos de la ventana, los chicos gritaban levantando los brazos, fingiendo que se caían.

—Chicos... chicos —solícitas las palabras acudieron pero se derritieron no bien transpusieron los labios. Fuera de la luz, la mujer se acurrucaba en su olvido; la calle, el Mudo, los chicos, rebotaban contra su pollera. Debajo del cuello de encaje que cepillaba maquinalmente se extendía un vestido de seda; parpadeaba muy a menudo, como si por sus ojos pasaran sueños, de esos que parten de los sitios prohibidos y a los que de vez en cuando se les da permiso para que aparezcan; no dejaban rastros, se los podía descubrir sólo por ese fulgor que se encogía en sus ojos cuando algo intolerable, quebrando toda barrera, aparecía en ellos. Si hubiera vigilado atentamente a los chicos habría visto también al Mudo guerrear para alcanzar el balcón. El Mudo: las piernas lanzadas en desorden y esos ojos rientes y un poco tiesos que miraban con desenvoltura, una desenvoltura impropia de alguien que aparece de repente en una habitación. Por fin apretó sus alpargatas contra las baldosas para aferrarse. Dentro de su torpeza había un chico, un chico al que la mujer del cepillo veía de cerca por primera vez:

—¿Qué hace?... ¡Qué hacés! —dudó en el trato, esa especie de hombrecito la desorientaba.

Sin malicia, sin asombrarse por la visión de la mujer, ni del cuarto cuya intimidad acababa de descubrir, el Mudo sonreía paseando los ojos por las camas de cobertores oscuros iluminados por almohadones de cañamazo.

La mujer abandonó el cepillo y se sentó, nunca nadie había sonreído con esa libertad en aquel cuarto:

—¿Buscás a alguien? —se llevó la mano a los labios, incómoda por oír su voz alzarse así, pero era una tontería, una vacilación fuera de lugar, ya que sabía que el Mudo, aunque no hablara, entendía perfectamente lo que le decían.

—Vino a jugar con nosotros —dijo el mayor de los chicos. Su fuerza estaba en la manera de prenderse del pantalón del Mudo; mostraba una posesión sorpresiva, cálida, que empujó también a los otros dos a acercarse rascando el piso con sus espadas de madera.

Haciendo un esfuerzo por seguir la conversación, metiendo la cabeza en el aire de la pieza, la mujer restregó sus pies e hizo sonar las hebillas de sus sandalias:

—Después de todo podrías haber golpeado la puerta como todo el mundo.

El Mudo se encogió de hombros un par de veces y, como si no hubiese nadie cerca, ni tampoco nadie le prestara atención, se acercó al caballito para acariciar su pelaje pintado. Era inútil disimular el deseo; aunque sus piernas habían crecido demasiado las arqueó y colocó el caballito entre ellas como si fuera a montarlo.

—¡Epa! —dijo la mujer.

Y no dijo nada más al oírlo gruñir; para el Mudo en la ventana el cielo era una pradera, una pista sin obstáculo, un camino por el que se podía trotar sin vergüenza de trotar aunque no condujera a ninguna parte.

—El caballito es mío —dijo dificultosamente, espaciando las sílabas, el más chico de los tres hermanos. ¡Slamp! Tiró su espada al suelo y la pisoteó varias veces con una furia que le humedecía la cara.

—No. ¡Es mío! —dijo el que más se le parecía.

Salvo la dicción, tan correcta, y la diferencia de altura, se hubiese dicho que se trataba del mismo chico. Se había acercado a su hermano y empujaba sus costillas con la espada, la apartaba un momento y se las volvía a empujar, empleando cada vez más fuerza. Lejos de ceder, el otro arqueaba sus hombros manteniéndolos duros, tratando de no hacer un solo gesto y, sobre todo, de no mover los pies.

—Mirá lo que provocaste —dijo la mujer. No había enojo. Las palabras tenían un tono ausente, se retiraban antes de que se les prestara verdadera atención. No obstante ella insistía en hablar.

Su pelo sujeto en la nuca brillaba en la oscuridad. ¿Por qué tampoco la miraban? La madurez florecía debajo de su frente lisa, leve, demasiado blanca. Pero era el pelo, tan tenso, deprimiéndose en las sienes, achatándole la curva de las mejillas, el que le soplaba ese aire de vieja, ese aire que se aventaba sin embargo no bien se le ocurría abrir los ojos y desparramar por el cuarto su claridad.

Los tres (el mayor había mantenido una actitud más amistosa de la que ahora parecía desdecirse) rodeaban al Mudo, lo rodeaban y le lanzaban las espadas contra las piernas, shinn... shinn...

—¿Qué es eso? —preguntó la mujer casi sin levantar la vista. Shinn... sonaba la tela cruda bajo las conteras de cartón de las espadas que recorrían el largo de los pantalones. Como una piedra que cae ruidosamente las risas se agolpaban entre las paredes sin perturbar a la mujer inclinada de nuevo sobre el vestido. Así y todo no eran risas fuera de lugar, y estaban sostenidas por el corcoveo del caballito que el Mudo agitaba primero por sobre la cabeza de los chicos y luego por sobre su propia cabeza.

—¡Bajalo de una vez! Bajalo.

El mayor había tirado la espada y hablaba con las manos en la cintura, la voz demasiado resuelta como para evitarla:

—Mamá, lo llamamos para que venga a jugar, pero el Mudo no juega —se dirigía a la mujer tratando de que apartara la vista del vestido y se aliara a él.

Con un golpe seco el caballito tocó el piso, pero no se detuvo, sino que de inmediato ascendió por el aire con la cola de papel desplegada, las riendas sueltas y un ánimo de travesura que el Mudo le insuflaba soplándole las orejas.

Hacía calor, pese a que todas las ventanas estaban abiertas, salvo una estrecha, pintada de azul, ubicada casi contra el techo, que daba extrañamente a un cuarto vecino (estaba cerrada y sin embargo se podía abrir de ambos lados, gracias a un sistema ideado con palancas y cremalleras).

Los giros del caballito movían el aire torpe de la pieza que se deshilachaba para rodar hacia los rincones; como éstos estaban vacíos y oscuros se calentaron de golpe.

Con el borde del vestido la mujer se abanicó, en una señal de derrota ante el calor; diseminadas por su cara las pequeñísimas gotitas de sudor se la irisaban cuando el reflejo del caballito pintado rebotaba en el espejo y la alcanzaba.

—¡El Mudo debe andar por aquí!

El comentario que venía de afuera llegó hasta el cuarto, cargado de picardía, pero de una picardía ingenua, como si el que lo hubiera lanzado (justo debajo de la ventana) no tuviese dudas de que el Mudo estaba, efectivamente, ahí. La amenaza de aburrimiento, o quizá peor, el temor a esa amenaza, se apoderó del cuerpo de los chicos; tiraron las espadas y se apartaron del Mudo.

Interesada por el nuevo cariz de la situación la mujer fijó sus ojos en aquel hombre que sin soltar el caballito caminó hasta la ventana.

—¡Eh! Ahí está... ¡Mudo! ¡Mudo! —dos hombres de uniforme gris, dos operarios, con los cuales el Mudo había estado acarreando cañas, le hacían señas; uno de ellos se había quitado la gorra para agitarla, parecía arderle, como si un pequeño animal estuviera mordiéndole los dedos.

La señora había apartado el vestido y seguido al Mudo; parada unos pasos detrás de él, vigiló especialmente al de la gorra. Instante a instante su curiosidad iba en aumento:

—Exagera tanto el de la gorra... No sé, pero él debe de querer venir a jugar aquí —dijo, sin irritarse, pero en absoluto acentuando su amabilidad.

La aparición de la mujer, el silencio prolongado antes de que hablara, y ahora esa manera de apoyarse contra el marco de la ventana, sobre todo su desmoronamiento, cohibieron al grupo. El Mudo estaba en el balcón, más cerca de la mujer que de los operarios, pero él se sentía parte del grupo de la calle, parte de esos hombres que seguían invitándolo a bajar con menos agitación (la gorra se veía quieta) pero con apremio en los ojos.

—¡El Mudo se queda a jugar con nosotros! —gritaron los tres chicos, arremolinándose en el balcón, arrastrando el caballito para entusiasmar al Mudo nuevamente.

—Si se queda no vamos a terminar el trabajo —dijo el que había estado callado pero había hecho gestos al lado del de la gorra.

Barrida por el calor, la tarde aún sostenía el empecinamiento de cada uno. Pero hubo cambio de rumbo: la mujer rió un poco, caminó unos pasos y se acodó en el barandal:

—Tienen razón, no podemos decir que ya está todo listo —miró hacia el fondo de la calle—. Creo que todavía falta colocar varios pares de arcos.

Satisfecha empujó a los chicos suavemente, también el caballito, y alcanzó la penumbra del cuarto; desde allí saludó una vez con la mano. Corrió a buscar el vestido y el cepillo dejados de antemano junto a la plancha. No, de ninguna manera faltaba una eternidad para el corso.

El Mudo se vio llevado en andas por los operarios; la subida al balcón le había provocado menos temor que ese bamboleo de barrilete que se viene abajo. Los brazos de sus compañeros lo tomaban de las piernas, como corrían por la calle, debía erguirse y contonearse para contrarrestar esa rigidez a la que lo obligaban de la cintura para abajo.

—¡Tenés que acostumbrarte, Mudo! Esta noche vas a estar en las alturas —comentó feliz uno de los hombres, aflojando la presión de sus brazos para depositar al Mudo en tierra. Casi no se dieron cuenta, pero rápidamente un arco con bombitas relumbró en el aire. Liviano, desparramando su cola de cables, se adhería a la caña central, bajo las manos hábiles del Mudo que no sólo ataba los cables sino que se daba tiempo para mirar cómo quedaba el resto de los arcos en la calle. De verdad daban la impresión de un mar estrecho y encabritado cuyas olas se armaban con las hileras curvas de las bombitas que centelleaban bajo el calor.

"Ni nos dimos cuenta", "Es más rápido que un gato", comentaron los hombres, con las cabezas levantadas, siguiendo los movimientos del Mudo trepado a la caña central. Permanecieron unos momentos así, la boca tocada por el asombro, hasta que les sobrevino un acceso de miedo. "¿Y si se cae?", dijo uno de ellos. Era peligrosa esa audacia; había que ahuyentar toda sospecha de un mal movimiento, de un descuido, porque podía dar con él en tierra con mayor brusquedad que la que se usa para arrojar una cáscara por la ventana.

—¡Cuidate, Mudo! —le aconsejaron a coro y vigilaron el balcón en donde habían estado los chicos. Hubiera bastado una reaparición súbita o que lo llamaran de una manera más prolongada (algunos grititos esporádicos se escuchaban pero no surtían efecto debido a su ausencia del balcón) para que el Mudo se hubiese batido como una llama para apurarse, y peligrara más por esa pretensión suya de entretenerlos. Finalmente los tres hombres trabajaron casi con arrebato, terminaron con el arco y siguieron con los siguientes porque les habían acercado la chata.

Ahora sólo quedaban unas cuantas cajas con lamparitas amontonadas en el pescante.

—Habría que prenderlas todas —dijo uno con la voz temblándole de entusiasmo, mirando las cañas de las últimas cuadras. Ahí los arcos se hacían a la vista mucho más tupidos. El Mudo le siguió la mirada y agitó las manos. Aquellos dedos expresivos, flacos y largos, extrañamente largos para un hombre de su estatura, aprobaron de inmediato.

Como si de verdad hubieran escuchado el pedido, o como si una mano estuviese apoyada sobre la palanca eléctrica y la accionara, las luces se prendieron de golpe.

¡Ah!... ¡Qué lindo que era aquello!

El Mudo fue empujado al centro de la calle; levantó la cara al cielo y luego extendió los brazos a la manera del que quiere empaparse con la lluvia. Las luces restallaron con timidez bajo ese sol todavía ardiente, y las cañas de bambú esparcidas sobre la tierra parecían un palio gigantesco montado para cubrir a ese hombrecito que se desarmaba en gestos.

De pronto se acostó sobre la tierra. Desanudó el pañuelo que llevaba al cuello y se cubrió el vientre; no había afectación en ese gesto, más bien un irreprimible deseo de echarse, de echarse solamente, ya que debido a la claridad que le pegaba de esa manera en la cara a nadie se le pasó por la cabeza que se le ocurriera dormir.

—¡Vamos, Mudo!

Uno de los hombres se inquietó; a la derecha y a la izquierda, grupos de personas miraban el resplandor de la calle y también al Mudo tendido como un muerto. Ya nada quedaba de su excitación reciente, ahora tenía sólo ese empeño en mantenerse inmóvil, la cara blanqueada por el sol, los brazos replegados a los costados del cuerpo.

—¡Soy tonto! —le dijo el hombre a su compañero de trabajo—. Estoy tratando de que me escuche, gritando, como si el Mudo escuchara... ¡Soy tonto! —subrayó sonriendo desalentadoramente.

—Sí. ¡Qué tonto! —enfatizó su compañero arrojando sobre las palabras un exagerado matiz irónico, y continuó—: El Mudo oye mejor que nosotros dos juntos. El problema lo tuvo en la garganta cuando era así de alto —dijo marcando con la mano en su pantalón la altura aproximada—. Casi se muere aquella vez.

—¡Mudo! ¡Mudo!

Por la puerta central de la casa abierta, de improviso apareció uno de los chicos que habían estado en el balcón.

Entre el resto de las puertas cerradas celosamente por el calor, salvo las de algunos comercios, esta puerta parecía demoler esa impresión de exagerado recato, de visitantes no deseados, que daban las otras, y se abría ahora de par en par iluminando hasta el más indecoroso rincón un zaguán de paredes enlucidas de estuco.

Al principio pareció que no, que al Mudo nadie lo arrancaría de esa postura de abandono, pero la voz del chico balanceándose en la bruma ámbar del zaguán lo despabiló de golpe. De su especie de levitación pasó a un andar suave en que sus pies apenas tocaban el piso; pero cuando el chico cerró la puerta tras de sí y empezó a caminar por la vereda, dio un par de grandes zancadas para acercársele.

—¿Te decidiste a acompañarme?

Los dos caminaron muy juntos hasta el negocio donde estaban pintando la vidriera. La pintaban con letras doradas; hasta el momento se leía: Tienda "El..."

Esa suspensión daba espacio para imaginar, y no siempre se imagina irreprochablemente; la prueba la tuvo el chico, que no pudo terminar la palabra que había empezado a decir cuando los ojos del pintor lo miraron de ese modo.

El Mudo tanteó el pomo con labraduras de la

puerta y a ambos los envolvió un hálito fresco, cargado del olor de las telas, donde la tintura y el almidón parecían estar cociéndose ahí mismo.

Todavía había paquetes sin desembalar, acomodados sobre una hilera prolija sobre el piso, pero la mayoría de los estantes estaban repletos, también los cajones con fondo de vidrio que exhibían sus menudencias.

En vez de golpear las manos, prefirieron esperar; paseaban ávidamente los ojos por las estanterías, con la impunidad que les otorgaba la ausencia del tendero. Rápidamente cambiaban la mirada de sitio, empujados por la vergüenza de saber que una aparición súbita interrumpiría ese alocado reconocimiento. Se trataba de un lugar donde el mayor placer era la visión sin vigilancia de objetos nuevos.

—A esta tienda la abrieron hoy —dijo el chico desdoblando un papelito apretado en un puño.

Algo se movió en la habitación contigua. Por detrás de una cortina con flecos apareció el tendero, seguido de su mujer; eran jóvenes y estaban bien vestidos. Ella llevaba con indiferencia una camisa de seda y unos pantalones negros que le abrazaban apretadamente las piernas. Por la cara de él rodaba una sonrisa de complacencia; antes de averiguar lo que querían tosió un poco y abrió una gaveta del escritorio que estaba vacía.

—Mi mamá quiere dos metros de cinta verde —dijo el chico, leyendo por las dudas el papelito de nuevo.

Reconcentrado, el Mudo se acercó a la vidriera; la calle, maciza con tantas cañas, se había deshabitado, sólo sus compañeros se movían enrollando los últimos cables para depositarlos sobre la chata. Ya con las lamparitas apagadas el cielo se enredaba en los arcos, vacío, con un sol que en plena carrera hacia la orilla de la tierra se debilitaba cada vez más; como fosforecía pobremente al Mudo le pareció que —como le sucedía a él en ocasiones— a pesar de algunos chispazos que lo reanimaban el sol sentía por esa pérdida de fuerza una vergüenza inocultable. No esperó a que el chico pagara, tampoco hizo caso a los gritos amables de sus compañeros.

Le ofrecieron llevarlo en la chata cuando terminaran no bien transpuso la puerta de la tienda. Pero el Mudo corría; nada lo disuadía de ese apuro sorpresivo que lo hacía correr y correr por las calles con preocupación, las piernas agitadas, los ojos en busca del pequeño terreno sembrado de espárragos al otro lado del cual se levantaba su casa.

Un camión cargado con mascaritas lo detuvo, eran muchas y cantaban alegremente distintas canciones. La mezcla de las melodías y las frases confundía sus oídos pero le apaciguaba el corazón.

—¡Mudo! Tenés que ir a cambiarte —gritó una de ellas haciendo sonar una matraca con cintas de colores demasidado vivos; enmarcando su antifaz, el pelo negrísimo le flotaba plagado de lentejuelas—: ¡Apurate, Mudo! —rió y su risa fue arrastrada por el camión, que avanzó por la calle con una especie de estertor. El Mudo no se movió, el camión había dejado su estela de polvo y él, parado ahí, seguía pensando en el pelo lleno de luces de la mascarita.

No obstante, el recuerdo repentino del papel que debía desempeñar pocas horas después, lo arrancó del borde de la vereda y lo lanzó a trotar por nuevas callecitas: eran cada vez más resecas, descuidadas del riego concentrado en las cuadras del corso; las luces de las bocacalles apenas se distinguían entre el hervor de insectos.

Al fin las cañas cruzadas, cuidadosamente atadas con tientos que el Mudo renovaba cada año, aparecieron frente a su vista. Sobre todo el olor fresco, el olor del agua avanzando por los pequeños canales de riego, fue para él la prueba irrefutable de que estaba en falta; había prometido a su madre llegar con tiempo suficiente para regar los espárragos y ahora no sólo la bomba eléctrica sino también la de mano chillaban entre las cañas. Su madre estaba de espaldas y se agachaba y enderezaba con tanta lentitud y tan rígidamente, que parecía un muñequito mecánico accionado con premeditación para que hiciera el trabajo.

—¡Hijo!... A qué hora —gritó la mujer cuando el Mudo se le puso enfrente.

La voz se le quebraba a cada momento porque sus fuerzas se distribuían entre la garganta y los brazos. Las piernas y la cintura sufrían porque los músculos estaban endurecidos por el bombeo.

—No, no —dijo en cuanto el Mudo intentó arrebatarle la palanca de la bomba—. Es tarde. Ahora tenés que cambiarte. Un compromiso es un compromiso. Esto ya se termina —agregó haciendo un gesto abarcador con la cabeza y sin dejar ni por un instante de manipular la palanca—. ¡Ah! Y no tirés la ropa por el piso del baño —agregó con un resabio de mando aún, moviendo apenas sus pies atormentados dentro de las zapatillas.

El Mudo le dio la espalda, pero el gorgoteo del agua que caía desde el vertedor a la batea que alimentaba el riego, más el olor de la tierra casi fría por la humedad y la noche tan próxima, lo obligaron a caminar con lentitud, como si el trecho que lo separaba de aquella casa apenas iluminada al fondo de la plantación lo condujera hacia algo desconocido que él no estaba del todo seguro de desear.

Cuando se colocó la corona dio dos pasos hacia atrás para mirarse en el espejo los ojos, tan negros, tan trémulos, le brillaron debajo de los párpados abrasados por una emoción de la que no se creía capaz.

¡El rey! Levantó el borde de la capa y se la llevó a los labios. Muchas mujeres, todas las tejedoras del pueblo, habían entretejido los hilos para armar ese encaje; era blanco y su blancura resaltaba contra su cara morena; sin embargo su contacto tosco casi dolía contra los labios, la belleza estaba en la forma de las figuras y las flores que se desplegaban sobre sus brazos. ¡Ah, el olor! El olor puro del hilo le lamía la nariz, que se agitaba bajo la corona recién dorada; hasta en los zapatos habían abrochado botones cuyo fulgor no se perdía dentro del cuarto, pese a la pobrísima luz de la lamparita que huía bajo la pantalla de cartón.

—¡Hijo! —dijo su madre mirándolo maravillada.

Con las zapatillas en la mano dio una vuelta en torno del Mudo; de pronto una sombra le apagó los ojos:

—Estás tan distinto. Casi no puedo reconocerte —agregó acercándose a una silla y sentándose en el borde sin abandonar las zapatillas. El barro había hecho un reguerito y ella lo advirtió cuando estiró las piernas y apoyó sobre el piso los pies:

—¡Santo cielo! ¿Qué estoy haciendo?

Se levantó de un salto, en el fondo feliz de poder

apartarse de ese hijo tan adornado, pero extremó los cuidados al desplazarse hasta el patio.

Cuando volvió con un calzado limpio y trapos en la mano, el Mudo seguía frente al espejo; buscaba —ahora desesperadamente en aquella figura de apariencia regia una señal, un aviso que no espantara a su madre y pudiera entablar así ese balbuceo tibio, tan exento de agitación, al que estaba acostumbrado.

—¡Las bombas! —apenas el estruendo se desparramó estremeciendo los espárragos, la mujer corrió a la ventana—. Se hace tarde y la carroza no viene. Me voy a alistar. Espero que no te pese demasiado esa corona. —Meneaba la cabeza porque descubría en su hijo una palidez nada frecuente. El Mudo se había inquietado al escuchar las bombas y caminaba por el cuarto con pasos cortos y rígidos; los destellos de la corona que alcanzaban la cara les conferían a los pómulos una nobleza nueva.

—¡Estás tan lindo! Ah... Seguro que a esta hora las vecinas ya se fueron. No importa. No puedo tener miedo a mi edad. Me llevo la linterna y listo. Claro que después en el corso... Pero sí, a alguien voy a encontrar.

Por la calle desierta el ruido del traqueteo de la carroza avanzó hasta meterse por la ventanita iluminada; sin dar un paso más, sin atreverse a mover los brazos, esos suyos tan necesariamente propensos a los ademanes, el Mudo esperó. La que no esperó fue su madre, que se lanzó por el caminito que bordeaba la pequeña plantación de espárragos con una alegría pueril, soltando al aire su sonrisa desdentada:

—¡La carroza! ¡La carroza! Por suerte. Creí que no llegaría.

—Pero doña... ¿Dónde vio un corso sin su rey Momo? Él tiene que entrar al final. Siempre se espera a los reyes.

—Con toda esa ropa deben estar sofocados. ¿Quieren que les traiga agua? —preguntó sin quitar los ojos de la inmensa corona iluminada que, a modo de dosel, protegía una silla con asiento de brocado llena de labraduras. El permiso para mirar aquello era infinito, por eso no corrió en busca del agua, ni siquiera se detuvo a prestar atención a la respuesta de los hombres; miraba ahora los galones de los guardias perderse entre el raso de las chaquetas, los clarinetes —¿suenan?— con sus borlas llamativas en lo alto y la inquietud del cochero bajo su sobrepelliz (seguramente prestada por el cura) atravesada de puntillas.

—¡El rey! —gritaron de golpe los de la carroza; siguió la dirección de todas las miradas y vio arder en la luz gastada del caminito una figura clara que se movía con autoridad, la autoridad era tal que todos pensaron que ese hombrecito había sido creado especialmente para ejercerla.

—El rey —murmuró la mujer cuando lo tuvo a su lado, pero el rey sólo tenía oídos para las voces que lo apremiaban desde la carroza; después de expandir por sobre las cabezas un ademán de saludo se enfrentó a la escalerita que, entre el olor de la seda y la excitación general, lo conducía directamente al trono.

—Un rey debe tener su bastón de mando —dijo un guardia de honor, y le mostró el cetro haciendo tintinear sus argollitas metálicas; pero no se lo entregó inmediatamente, hizo una pausa y agregó—: Si yo me lo quedara lo zarandearía cada vez que necesitase algo, y si alguien llegara a resistirse le golpearía la cabeza así —lo movió severamente, tres veces— sin perder el aire digno, porque a un rey se le acepta cualquier cosa, basta con que sea rey.

El Mudo dio dos pasos y se acercó al guardia para quitarle el cetro; con cierta picardía en el fondo de los ojos lo golpeó tres veces tal cual éste le había indicado, y le hizo señas de que se callara la boca.

—Mudo... Ese bastón brilla distinto en tus manos, ah... ¡Cómo me gusta este rey! —El cochero había hablado ampliando su sonrisa hasta los extremos de su cara, pero súbitamente su expresión cambió:— ¡Ea, guardia! Todavía no ajustó esos pilares que se mueven, si nos vamos así en la primera vuelta se nos destartala todo.

El Mudo abandonó el cetro y sin quitarse la corona firmemente puesta se acercó a los pilares para afirmarlos bien. El cochero lo detuvo:

—Basta, Mudo. Ya trabajaste demasiado. Es hora de que te sientes donde te corresponde.

Por fin la carroza galopó por la noche dejando el eco del trote de sus caballos; era un eco fantasmal pero hidalgo, como si se tratara del de caballos normandos. Un hálito de cosa imprecisa —por estar más cerca de lo que se disuelve que de lo que perdura— patinaba el resplandor de los reflectores que giraban ininterrumpidamente; al Mudo le pareció mejor prestar atención a los ramalazos de música que llegaban según la dirección del viento y que le desterraban del corazón la tristeza instalada desde que había puesto los pies en la carroza. Pero lo que verdaderamente lo sobrecogía era ese vacío, ese silencio engordando dentro de las casas y los jardines, en los patios y las calles oscuras, porque todos los ojos del pueblo se apretaban en las cuadras céntricas donde el corso se armaba también con ese clamor, con esa larga exhalación confusa que se volvía cada vez más nítida a medida que los caballos se acercaban.

—¡Viva el rey! ¡Viva el rey!

El Mudo se revolvió en su asiento cuando cruzaron las primeras arcadas. Embarazado como nunca, su cabeza retrocedió en el aire, pero como estaba tan fuertemente asido a los posabrazos lo mismo consiguió saludar a la multitud.

—Aflojate un poco, sonreí. Estás duro como un muerto —le dijo un guardia mientras hacía ademán de llevarse el clarinete a la boca, pero se trataba de un pavoneo inútil ya que no sabía cómo se tocaba. De los seis guardias solamente uno sabía hacerlo, pero tan mal que habían desestimado la primera intención de que él abriera el desfile.

A cierta perplejidad general (la mayoría sostenía que el Mudo no iba a estar acorde a su papel porque exhibía un linaje sospechoso) siguió el arrebato de un entusiasmo prendido en las bocas abiertas y los puños agitados.

La figura que se deslizaba tan embellecida por las ropas, la audacia de su gravedad y, por supuesto, la altura, desataban en todos aquella ilusión secreta de que la voz del diosecito particular, ése de cara ígnea, que podía ser bueno o perverso según cómo los aconsejara en la elección del candidato de turno, en fin, la voz del elfo, esta vez no iba a ser engañosa.

—¡Viva el rey!

—¡Chau, rey! ¿Y si nos llevás a dar una vuelta? —gritaban los chicos.

También gritaban los chicos del balcón en el que había estado el Mudo horas atrás; ahora lucían el pelo brillante y unos pantaloncitos que se ampliaban en el aire.

—¡Cuidado!

De repente la pollera de la mujer que los seguía acompañando se infló y obró como fondo sedoso y oscuro de las tres siluetas que resaltaron aun más. Pero la mujer estaba a medias en la fiesta, continuamente vigilaba una ventana de su casa cuya luz se veía por las ranuras de las celosías (era la estrecha, la azul, la que daba a un cuarto muy especial). Los chicos, en cambio, por completo adentro de la fiesta, disfrutaban desplegando su curiosidad.

—Ya no te prestan atención —dijo un guardia tirándole de la manga al Mudo cuyas señas, bastante tibias e indescifrables, estaban dirigidas a los chicos.

Seguir con el intento de saludar hubiera sido vano porque, por un lado, el Mudo se movía fatalmente alcanzado por cierta inhibición provocada por la vista del gentío, y por el otro, los chicos mudaban su interés a cada momento estimulados por la magnificencia del corso.

Pero detrás de la ventanita alguien inclinado sobre un escritorio de patas flojas pensaba en que sin remordimientos se olvidaba el cielo repleto de estrellas, ese que se curvaba por sobre los arcos; el cielo armado con lamparitas, privado y único, expulsaba al otro tan fuera de la medida de aquellos que pretendían tener los límites al alcance de la mano; pero también pensaba en que ciertos misterios, ciertos extremos del pensamiento, no necesariamente debían devanar los sesos todos los días, por eso dudaba, por momentos, entre seguir sentado o abandonar la silla.

Pese al griterío y al fulgor artificial también el Mudo conseguía adivinar en aquella oscuridad cuyo peso sentía sobre su cabeza el valor permanente de alguna estrella, valor basado —sospechaba— en la lejanía y en la imposibilidad de interpretarla.

—Paso al rey. Paso al rey.

Las serpentinas de colores eran tantas que un grupo de hombres había armado una fogata con ellas en una de las bocacalles y la gente se detenía para tomarlas del piso. Era necesario que se desplazara sin entorpecer; además también las carrozas eran muy numerosas y los caballos con sus arneses cuajados de borlas y espejos avanzaban rozándose y esto los encabritaba y obligaba a los cocheros a perder la compostura sin desearlo.

—¡Que alguien se arrime al baile! —gritó un hombre sudando bajo un gorro de piel, haciendo sonar su balalaika; describía pasos en el estrecho sector libre de la calle; sus largos bigotes le daban un aspecto ridículo, pero la fuerza alegre de su sonrisa arrastró a unas mujeres que se precipitaron a la calle con los brazos en alto (querían —dijeron— bailar para dejar atrás la turba de días poco hospitalarios). Al poco rato muchos hombres se habían sumado y las filas se volvieron compactas; de espaldas ya al son de las cuerdas fabricaban sus propios ritmos con las palmas. Flameando, las cinturas en las polleras hacían que los brazos cortaran ávidamente el aire.

El reclamo era único, también perentorio: bailar hasta que los pies se disuelvan, correspondan con exactitud en el ritmo, hasta que los brazos olviden la carga de los cuerpos y aprendan sólo aquellos gestos que los hagan felices: los gestos de ese baile nacido recién.

—¡Arriba! ¡Arriba! Las princesitas están muy solas, ¡ahí!, alrededor de la princesita dorada.

La atención de los bailarines fue captada por la orden que dio una mujer rubia, de risa como ascuas. En el centro de la calle una carroza con un cisne gigante, presa de una murga, parecía esperarlos:

—¡Arriba! Arriba todos. La murga tiene que irse.

El hombre del gorro de piel obedeció y lideró el grupo continuando con sus acrobacias, pero un viejo de la murga sacó de entre sus ropas un flautín y se puso a soplarlo; adelantándose todo lo que pudo, se paró a tres pasos del acróbata que no abandonó su guitarra. Por el apuro y la desprolijidad de ambos el contrapunto se hizo insoportable.

—Van a destrozar mi cabeza —se quejó la princesita dorada tirando de las riendas trenzadas con cintas sujetas al cuello del cisne—. La murga ya me dio su serenata. Que suban ahora los bailarines. Algunos nada más. Aquí no hay demasiado espacio.

Sin embargo se treparon casi todos y las princesitas ubicadas un escalón por debajo del podio chillaron un poco. La que era dorada, apoyándose en las columnas también adornadas con cintas, las calmó de inmediato:

—Así estamos mejor, el pífano del viejo se calló. Pero los bailarines tienen que venir con nosotras. Solas, nos aburríamos bastante.

Con cuidado, la danza se renovaba. Primero alzaron el pie derecho y lo proyectaron levemente hacia adelante; el pie izquierdo, en el piso, esperaba lo que seguía: una breve contorsión, y la espalda y los brazos que se extendían hacia los costados buscando el cuerpo de los otros para armar la telaraña. Después, no con uno, sino con ambos pies en el piso, los bailarines sostenían las guías de brazos que temblaban, se separaban y volvían a enlazarse en un juego lento y fervoroso que parecía dictado por un bailarín sordo; la música no existía, el hombre de la balalaika también fundía sus brazos en aquella red viva.

—Nosotras también queremos bailar. ¿Por qué no nos invitan? —dijeron las princesitas de largos vestidos blancos, tan largos que apenas se veían las flores de sus sandalias.

—Ah. ¡Esa luz! —dijo una de ellas tapándose con las manos la cara apenas empezó a bajar.

Dentro de la cabeza del cisne una luz fosforecía y se irradiaba por los ojos y el pico abiertos; era súbita y se interrumpía porque la cabeza giraba a uno y otro lado accionándose por dentro, y el que movía las palancas lo hacía de cualquier manera. Cuando la alcanzó el resplandor la princesita perdió pie, arrastrando con la cola de su vestido una canasta con rosas; pese a la búsqueda desesperada sus brazos no encontraron apoyo y cayó sobre el tejido de cuerpos, desmañada, con la vergüenza que le oprimía los sesos y el deseo de encontrar un refugio, el último del mundo, a toda costa.

—¡Les dije que bajaran siempre por la escalerita de mano! ¿Para qué la pusimos detrás del podio? Sigue ahí, por si lo olvidaron. Pero no, ella tuvo que bajar por la principal. Espero que el golpe no haya sido muy duro. Por qué no se apartan. ¡Déjenme ver, por favor! Yo tengo que quedarme aquí, si bajo y hago demasiados movimentos voy a llamar mucho la atención —la princesita dorada se mordía los labios, agitándose, y su cuerpo palpitaba como un pez al que recién sacan del agua.

Pero la caída no duró demasiado. De golpe la princesita apareció en el aire, restallante su vestido blanco, abiertos los brazos y el pelo para recibir la lluvia de rosas que los bailarines le arrojaban tomándolas de la canasta que había caído al piso. Era tan liviana que pronto empezó a pasar de brazo en brazo; y ella pensó que debía flotar, hamacarse, cimbrear, rozando con los dedos las cabezas, las plumas genuinas del cisne, las riendas hechas con cintas; pero sobre todo que debía hundirse en la luz cegadora con los ojos cerrados, las piernas firmes, bien sostenida por sus compañeros, y soplar, soplar hasta que la luz retrocediese, se enroscara y llegara a su reducción absoluta en el foco maligno que se agazapaba dentro del cisne.

Pese a las innumerables carrozas, murgas, disfrazados sueltos y la nube flotante de papel picado, el Mudo alcanzó a ver el movimiento imprevisto de la carroza que se había apartado a un costado para no atascar el desfile. Por señas hizo enterar a los guardias de lo que ocurría, pero su impaciencia no le permitió aguardar el recorrido restante y se bajó del trono y de la carroza y caminó con ese aire de atormentada respetabilidad que lo hacía aparecer tan íntimamente ajeno a su papel y tan en su puesto.

—Te acompaño —se ofreció el guardia más bajito de todos—. Esto de que abandones el trono no me gusta nada. La gente puede molestarse.

Aunque avanzaba a grandes pasos lo mismo no conseguía emparejarse con el Mudo, cuya velocidad tenía el tono de una arenga poco afectuosa.

Recién cuando vio de cerca que los movimientos de la carroza del cisne gigante no eran tan irreflexivos como le habían parecido, el Mudo se calmó y aceptó la invitación a subir formulada a viva voz por los bailarines, que no dejaban de bailar. Ahora su corona pasaba de cabeza en cabeza y cada uno con mayor o menor esfuerzo se acomodaba a su peso y al aplomo que ella exigía, siempre con los pies taladrando el piso y la risa como campanas dentro de las gargantas. Esos juegos con la corona alentaron al Mudo; feliz, con la capa colgada a la espalda, batía palmas siguiendo el tronar de todos los zapatos.

La princesita que se había caído se puso a descansar en el último escalón del estrado. Había hecho vaciar completamente la canasta y colocar adentro uno de los almohadones de seda en los que se sentaba la princesita dorada; ahora apoyaba ahí uno de sus pies golpeados mientras con su mano llena de sortijas lo frotaba despacio.

Cuando el Mudo la vio, suspendió el baile. Las señas fueron tan claras que la mayoría, con la voz bien alta, se puso a llamar:

—¡Un médico! ¡Un médico!

Estuvo de más que la princesita dorada agitara con tanto énfasis las riendas del cisne porque los gritos y la presencia del rey despertaban de por sí la suficiente atención.

Por entre el gentío avanzó la barbita puntiaguda de un joven que se movía con timidez; la incomodidad que le provocaba su maletín parecía curvarle la figura vestida de oscuro.

—¡Es él! Yo lo conozco. ¡Es él! —lo señaló la princesita dorada; y la figura pareció encogerse aun más.

—Vine al corso y lo traje conmigo —dijo señalando casi con vergüenza el maletín—. Hay tantas personas aquí... Pensé que en algún momento lo podría necesitar —comentó, ya instalado en la carroza, con el maletín abierto cerca de la princesita lastimada.

—Me duele mucho —rezongó ella con un mohín de dolor, pero después agregó—: ¡Ay, por favor cúreme, no quiero perderme la fiesta!

En tanto aplicaba cuidadosamente una venda, el médico reflexionó:

—No sé por qué tuve tantos temores cuando elegí este pueblo. En realidad uno siempre tiene temores cuando desconoce un lugar. Pero ahora estoy aquí y voy a defender la salud de todos con uñas y dientes. Quizá no me vaya nunca. ¡Fatal decisión, eh! —finalizó ahogándose de risa, sonrojándose violentamente, porque suponía que estaba hablando demasiado. Pero nadie, salvo el rey, se ocupaba de sus palabras; los bailarines acompañaron a la princesita que, rengueando un poco, se ubicó en el primer escalón.

—¡Adiós! —Bruscamente el médico saltó de la carroza, pero se mantuvo de pie, a un costado; sus ojos seguían solícitos en pos de la princesita y de los demás:— ¡Voy a quedarme en esta esquina! Me sobran razones para hacerlo. Ya ven lo que pasó con la chica, si no estoy en guardia pueden vérselas mal.

Que el médico abandonara la carroza era una buena señal. Los bailarines lo imitaron; también el rey y su guardia después de una última inspección. La carroza del cisne gigante volvió a formar parte de aquella hilera que apenas se podía abarcar con la mirada; desentendiéndose del final abrupto de la calle se agitaba por el corso como si éste fuera infinito. Dando breves órdenes el guardia le iba abriendo paso al rey; su carroza lo aguardaba justo debajo del balcón de los juegos, donde los chicos y la mujer no hacían más que estirarse para curiosear las sedas y los adornos.

—¿Escuchás? ¡Esto emociona! Hasta yo quisiera

juntarme con ellos y cantar —dijo el guardia, y giró apenas la cabeza para espiar al grupo cada vez más grande que los seguía con los ojos chispeantes, revelando su contento, salmodiando:

—¡Éste es el rey! Aquí va el rey. ¡Es nuestro rey!

II

Mientras corría en dirección del quiosco, Nino no dejaba de preguntarse si la alegría era completa, de todos. Esquivaba las bombitas de agua que se tiraban los chicos demasiado ruidosos, sordos a los hombres que refunfuñaban, como si para ese "¡Es carnaval!" no hubiera podido haber réplica. Con desparpajo cada vez mayor a pesar del amontonamiento (la gente compraba papel y serpentina para la noche), los chicos se acercaban al quiosco que los Serrano habían adosado a su tienda.

—¡Más lejos! ¡Más lejos! —les gritaba una mujer mientras les obstruía el paso. Nino los sorteó con dificultad y dio de lleno en el atolladero de compradores que invadía la vereda.

Aunque las apariencias indicaran que no, había discusiones y hasta pequeñas grescas. Claro que se disolvían, y con rapidez. El tema era el número de carrozas y de murgas, que según muchos había disminuido con los años. Pero en un punto se bajaba la voz y las murmuraciones se mezclaban con velados gestos condenatorios (tampoco faltaban los de adhesión); la confusión que se percibía parecía alimentada a propósito. ¿Había que sospechar una maniobra?

—¡Me olvidé el frasco de pegamento! —gritó

Nino abriéndose paso entre la gente; sus brazos decididos despellejaron el aire. Con el puño cerrado golpeó tres veces el estrafalario mostrador de alambres y vidrios esmerilados. Ante la irrupción un hombre de traje y corbata, acariciando sus solapas sedosas, se encaró con él:

—¡Oiga, jovencito! ¿Por qué no espera su turno? Toda esta gente tiene el mismo apuro y nadie comete torpezas. Cuando yo tenía su edad, en una situación como ésta hubiera cedido mi turno a los mayores —se interrumpió y meditó un instante—: Para nosotros el apuro tiene un valor diferente. ¿No le parece que los mayores estamos ocupados en cuestiones de más envergadura?

Nino pareció decir que no, que no le parecía, farfulló algo y después se quedó mirando fijo el broche de oro con cabeza de dragón que su maduro arengador llevaba en la corbata.

—Discúlpelo. Él hizo la cola antes, cuando compró el frasco y otras chucherías. Se trata únicamente de un olvido —dijo el señor Serrano, contemporizador pese a sus temibles ojeras, sacando el frasco de una bandeja de masticables—: Como ve, lo tenía bien a mano —agregó, y se lo alcanzó al muchacho, que lo tomó con rapidez torpe haciendo un gesto como si revoleara una capa.

Casi rozando a su arengador, dijo: —Lo espero esta noche en la plaza. A las nueve. Tengo algo que preguntarle.

—A las nueve... Pero a las nueve empieza el corso —dijo el hombre con preocupación; una gravedad repentina le veló la voz. No pareció poner en duda la validez de la cita pese a la excesiva juventud de Nino, muy por el contrario ese muchachito llamaba su atención, tanto que lo había venido vigilando casi desde el mismo momento en que había salido de su casa para recuperar el frasco.

—Precisamente por eso, porque empieza el corso. ¡Frente a los pinos! ¡Los más altos! Recuerde que lo que honra a un caballero es la puntualidad. ¡A las nueve entonces!

Bajo un sol que a esa hora todavía alentaba las ideas, Nino se fue pensando en cómo averiguar más, en cómo escarbar con ojos de topo en esa cabeza que acababa de dejar. Evitaba cuidadosamente la sombra de los árboles y los muros, prefería la luz y el calor de esa luz porque así sentía que le bullían todos los sesos.

—¡Nino! Te vas a pescar un resfrío. Con este sol y sin nada en la cabeza —gritó su madre; asomada a la puerta de su casa daba la espalda a las paredes de estuco del zaguán cuyo deterioro demasiado visible por el sol evitaba mirar.

—¡Mamá! ¿Tenés idea de mi tamaño? —retrucó Nino irguiéndose todo lo que podía en el oro oscuro de la calle—. Como si todavía necesitara llevar gorrito...

—Tus hermanos pararon el trabajo. Demoraste bastante. Seguro que demoraste por conversar. ¡Esa lengua! Si tuviera una campana se oiría en tu pieza hasta el amanecer.

Y dicho esto se puso a cantar esa canción que tanto le gustaba de hechos triviales y amores posibles, con una voz cuyas espinitas molestaron a Nino como siempre.

—¡Mamá! No sabés cantar. Y te equivocás, el conversador es Nono.

—¡Ah! Estos chicos que tengo. ¿Me decís por qué

se les ha ocurrido ahora la historia de los sobrenombres? Pero yo me acostumbro rápido. ¡Casi no me acuerdo de los nombres verdaderos! —dijo riendo con esa risa de marea cuyo vaivén adormecía. Nino cerró los ojos, por un instante los latidos de su corazón acompañaron aquello que sonaba así:

—¡Ah! Tu risa sí que no me atormenta, mamá.

Nono también había escuchado aquella risa y venía a su encuentro atravesando el comedor; sorteaba los muebles puestos sin cálculo, con poca habilidad, viendo de golpe taponarse un resquicio por algún cristalero recién llegado. No sin fastidio, dijo:

—Tenés demasiados parientes, mamá. Y ahora se te están muriendo. Si seguimos heredando muebles y ubicándolos en el comedor, pronto no vamos a tener por dónde pasar.

—Pero este aparador es para presentarle honores —dijo Nino haciendo una profunda reverencia frente a las puertas de espejos biselados de un mueble altísimo; remataba en una moldura semejante a almenas que le daba aspecto de fortaleza—. Hum, tiene olor a grasa —agregó para sí todavía inclinado.

—¡Quieto ahí! Quiero mirar tu cabeza a ras del suelo. Quiero despreciar con este pecho —¡plaf! ¡plaf! Nono se dio sendas palmadas en el pecho— todo lo que sea veneración por los objetos inservibles. —Y luego, dirigiéndose a su madre:— Mamá, ¿pero es verdad que todos estos trastos pertenecieron a la familia?

—A trasto regalado no se le mira la procedencia —dijo ella, y rió. Y su risa aumentó en Nono la sospecha de que la pasión de su madre por los muebles muy viejos la llevaba a indagar más allá del territorio que pertenecía a los difuntos de la parentela.

De pronto recordó esos anuncios: "Tengo que salir", dichos con una palidez escrupulosa, sin comunicar el destino de la salida. ¿Su sonrisa insinuada no escondería el goce de la aventura en salas del vecindario en busca de muebles en desuso? ¿Y Nino? ¿No la seguía casi siempre como un perrito faldero?

—Este mueble le vendría muy bien al Mudo —dijo Nino palmeando el aparador que había merecido su reverencia—. Desde que murió su madre guarda las cosas en cualquier sitio.

—Podrías llevárselo —dijo la mujer con una cadencia extraña—. Después de todo creo que Nono tiene razón. Esto está atosigándose —reflexionó paseando su mirada por ese desorden casi alegre, de museo particular, donde podía estudiarse la diversa genealogía de los bienes del pueblo. Siempre estaba dispuesta a desprenderse de ellos aunque los amara, aunque tuviese que interrumpir esa posesión forzada, conseguida después de laboriosos intentos, muchos de ellos terminados en fracaso. Sin embargo había éxitos, la prueba estaba en ese amontonamiento que podía desbrozar tan bien. La pérdida no era importante cuando su memoria estaba dispuesta a restablecer los menores detalles del mueble que pasaba a ser útil en alguna casita de las afueras.

—¿Pero quién fue por el pegamento? —La cabeza de Ino apareció en la puerta, abierta con brusquedad. El cerco del pelo encerraba su impaciencia, pero a duras penas: las mechas rubias eran agitadas por una mano que se agitaba todavía más. En los ojos, una indignación dispuesta a no rendirse.

Nino rebuscó en su bolsillo:

—¡Aquí está!

—¡Aquí está! Si no vengo a buscarlo terminamos

de pegar las cosas mañana. ¡Faltan muy pocas horas para que empiece el corso!

La luz proveniente de la puerta alcanzaba los muebles, sus líneas angulosas, sus redondeces, los vientres pulidos de unos y el polvo que ensombrecía a otros. La limpieza era ahí tan desordenada como la distribución pensada frenéticamente a medida que los muebles llegaban.

Ino encabezó la partida. Cuando las voces desaparecieron el silencio floreció en la sala, también esa impresión de inutilidad, de espacio ocupado por cosas que otros ya se habían quitado de encima, cuya única razón de ser era la mirada ávida de esa mujer que vaya a saber por qué capricho tampoco se ocupaba de ellos con demasiada frecuencia.

—Nunca se sabe exactamente qué va a pasar con Nino cuando sale. Apuesto a que se ha enredado en algún lío —dijo Ino, sus brazos brillantes en la luz del patio. Debajo de los fresnos había cajas, papeles y telas de colores, un frasco de goma vacío donde se zambullían las moscas, un olor alegre a verano tendido despatarradamente sin que nada lo intimidara—. Lo que pasa es que después no podemos dejarlo solo —agregó tomando de un clavo una vieja espada de juguete y mirándola como si no la recordara.

—Los juramentos son juramentos. Alguna vez prometimos ser uno solo frente a las ofensas. Si hay escándalo es necesario que nuestras tres cabezas se junten para pensar. Cuando nos salga humo será un humo que sacará chispas. ¡Ah! Los tres... —Nono hablaba mirándose en el vidrio liso, acabado de reponer, de la mampara que cerraba la galería.

—El lío está y lo conocemos todos —lo interrumpió Nino rabiando con las aletas de su nariz, pero al ver a Nono callado, todavía mirándose en el vidrio, atravesado por la búsqueda de una nueva ocasión para hablar, le cedió el paso:

—Vamos, Nono, ¿qué ibas a decir de nosotros tres?

—Necesita una tarima, aquí está —Ino le acercó un banco de madera del que quitó rápidamente los papeles puestos encima. Desnudo, con el sol quitándole toda intimidad, revelando sus partes groseras y su aspereza, el banco iba a ser el estrado donde Nono apoyaría los pies. "¿No haré el ridículo?" Tuvo su momento de vacilación. Pero después Nono, el del hablar ligero, subió al banco y olvidó por completo a sus hermanos. Era su cabeza la que lo hostigaba y sobre todo el deseo. ¿Se podía hablar de deseo en Nono? Al mirarlo bien se transparentaba que pertenecía por entero a la mujer que, sentada bajo el fresno, acababa de decir:

—¡Que suba! ¡Que suba! A su edad a lo menos que puede aspirar es a llegar a ser presidente.

La exigencia —"... pero de la república, ¿entienden?"— no pareció desmedida, rebotó en las paredes del patio y volvió a Nono golpeándolo en el pecho. Ino y Nino parecían a punto de arrimar alguna otra razón para apuntalar el proyecto acabado de nacer. El furor, la honestidad de las visiones de Nono, en las que se veía a sí mismo como una especie de redentor raso, su embobamiento frente a todo aquello que condujera a la justicia, lo transformaban en la voz cantante de los tres. Ino y Nino tampoco eran demasiado diferentes, también eran abatidos por los desbarajustes que se producían a su alrededor, sobre todo cuando pese a que olieran muy mal pretendieran mostrar certificado de buena salud como estaba ocurriendo en ese momento; de igual modo eran reanimados por las pasiones sublimes ("aunque de vez en cuando nos permitamos una de esas a las que sin pensar en los que la condenan inflan un rincón privado del corazón", palabras de Nono), si se pueden llamar así las pasiones que se inventan una zanahoria propia para correr tras ella.

Pero lo de la voz cantante era la pura verdad; la alianza de Nono con las palabras se veía tan natural, tan instantánea y de una eficacia tal que no se podía pensar en discursos sin echar mano a su lengua y a sus arrebatos. "Pero una cosa es lo que se dice y otra cosa es lo que se escribe", les había dicho una vez su padre asomado a aquella ventanita (la pequeña, la azul, la que se pega al techo en el cuarto de arriba, y abre al dormitorio de ella), y también les había dicho (Nino lo recordaba siempre) que el lenguaje podía andar en sordina, alejado de los cauces públicos, y aunque aquello no sirviera para mucho, por algo respiraría a veces aires poco salubres —¡Ah!— y con los dientes listos para roer lo más feo del hueso; por eso, porque recordaba esas palabras y los escépticos ojitos testarudos del padre, él llevaba esa libretita, y no sólo para anotar las direcciones de los que necesitaban muebles.

—Me parece que el tono de voz no es el adecuado... No sé...

—Algo no sale bien. A lo mejor es porque se te ve un tanto desgarbado... —la madre se interrumpió para reír; reía con carcajadas roncas, completas, que en apariencia no herían la susceptibilidad de nadie. La risa nacía en alguna ocurrencia que ya comunicaría y haría reír a todos. Esto último al menos parecía pensar Nono, callado de nuevo, esperando que su madre dejara de reír.

—Nada lo desalienta lo suficiente. Ni la risa de mamá —dijo Nino también contagiado de risa y sentándose en el banco donde estaba parado Nono.

—¿Recuerdan el libro que le regalamos una vez a papá? No, no creo que lo recuerden, ustedes eran muy chicos... *El arte de hablar en público,* se llamaba así.

—Eso lo ofendió, mamá, yo era chico pero lo recuerdo bien: *El arte de hablar en público.* Leyó unas pocas páginas y nunca más lo volvió a abrir. —Nono se lanzó al recuerdo, mortificado, escondiendo los ojos detrás del malhumor que le acababa de nacer. De golpe se sentó al lado de Nino y arrancó al fresno unas cuantas hojitas.

—Yo lo leí hace poco —aseguró Nino. Reía menos, pero reía. La opinión de Nono, que ahora molía una a una las hojitas, le parecía imposible de compartir—. Hice todos los gestos que me indicaba. Me llegué hasta tomar en serio la figura que me devolvía el espejo. ¡Hice los gargarismos! Después tiré todo al diablo; los discursos no me entusiasman. Pero no puede preocuparte papá. A él tampoco le interesaban el público y los discursos. Abandonó el libro apenas lo hojeó.

—Supongo que fue una broma de mamá —comentó Ino revolviendo dentro de una caja hasta sacar una casaca descolorida; si la usaban esa noche tendrían por lo menos que plancharla—. ¿La ves, mamá? —dijo mostrándosela.

—¡No me acusen! Juro que ni siquiera levanté la tapa del libro cuando lo compré —gritó la madre, ignorando a Ino por completo—. Pero tenía un título demasiado tentador. ¡Papá se pasaba demasiado tiempo en aquella piecita! Yo no sabía exactamente qué hacía ahí. Sí, leía, y creo que escribía alguna cosa; como se había metido con eso yo pretendía que alguna vez me diera una sorpresa, no sé... que hablara en público, en algún mitin de los que se hacen en las campañas para ganar la intendencia, que me diera, en fin, alguna oportunidad de aplaudirlo, de ponerme un sombrero con velo y mirarlo arrobada.

—¿Se usaban sombreros con velo cuando papá vivía?... ¿Aquí en el pueblo? —"Preguntas estúpidas para pretensiones estúpidas. Aplaudirlo en un mitin...", se dijo Ino, pero también se dijo que era difícil descubrir en qué punto su madre empezaba a bromear.

—Tenés demasiado sentido práctico, Ino. No sé si se usaban los sombreros con velo, pero yo me lo hubiera puesto igual. No... Jamás me hubiera atrevido con él al lado. —Se alisó el pelo. Parecía no tener ninguna intención de moverse del patio.

—En esta familia un poco de sentido práctico viene muy bien. Hoy no quiero comer carne a la plancha, mamá. ¿Qué pasa con la comida? Creo que todos estamos hambrientos... ¡Pero la cocina sigue desierta! —Ino quería a su madre en la cocina, ya de frases graciosas tenía suficiente.

—¡¿Desierta?! Es una palabra que me desacredita. Hay olor a verduras cocidas, a espárragos precisamente, y no me los trajo el Mudo; fui yo a buscarlos a la quinta, a esa quinta a la que ustedes le prestan tan poca atención. Y hablando de atención. Hay otras cosas a las que ustedes tampoco prestan ninguna atención. —Nino y Nono se miraron, el trato con su madre siempre exigía aprendizaje, sobre todo un adiestramiento de la vigilancia, de la caza al vuelo del timbre desdeñoso, por esas sorpresas que a ella le encantaba introducir en la conversación.

Nono trató de internarse en un argumento que los pusiera a salvo:

—El Mudo reemplazó a papá perfectamente. Incluso hace las cosas mejor que él, que siempre andaba cambiando de ayudante. No porque haya muerto no lo vamos a reconocer. Con la ayuda del Mudo todo marcha muy bien. Cuando llegamos con nuestra verdura a los negocios en seguida la exponen en la vidriera.

Habló con el vigor del hermano mayor, extendiendo protectoramente su mirada hacia los hermanos que balanceaban su enojo bajo los árboles.

Pero Ino quiso defenderse solo.

—Soy el más joven de los tres y sé pasarme horas con el Mudo escardillando los almácigos. ¿Creen que tomo en cuenta lo que en ese tiempo están haciendo los demás? ¿Incluso vos, mamá?

—¡Sí, sí! ¡Él es el más generoso de los tres! —Nino rió, una burla cariñosa que picó la molestia de Ino; para demolérsela sostuvo su risa todo el tiempo.

—No, no. Ninguno de los tres se esmera demasiado para ir a la quinta. Aunque tengo que reconocer que Ino es el más trabajador de los tres.

Ino agachó la cabeza, salvo por el rubor no parecía haber escuchado el elogio; todavía sostenía la casaca en la mano. Se preguntó cuándo estarían en condiciones de dedicarse a lo que se tenían que dedicar:

—Pero, mamá. Si todavía ninguno terminó el secundario. La muerte de papá obligó, o no, a Nino y a Nono a volver de la ciudad. ¿No nos estás exigiendo algo que es imposible de cumplir? Yo trabajo en la quinta porque me gusta. En cuanto al secundario...

—"Nos estás exigiendo", "Nos estás exigiendo". ¿Qué tiene de malo exigir? Exigir evita nada menos que lo mediocre, evita que deambulen de aquí para allá, marcando todos el mismo paso, como si en vez de tener hijos que intenten cada día hacer algo mejor, yo hubiese tomado una tijera y recortado figuritas, de esas todas iguales que resultan de plegar un papel.

—Quedate tranquila, mamá, en Nono prendió fuerte todo lo que enciende tu satisfacción. —Indudablemente Nino había heredado algo de su madre. De verdad parecía amar esas fintas, esos golpes a la cabeza que calentaban la sangre de manera inesperada. Por eso Nono se le acercó, los ojos para nada amigables:

—Me tenés harto. Además de ropavejero, hay algo más en lo que también querés parecerte a mamá.

Pudo haber sido la risa de Ino, repentina, deseosa de volver a restablecer las buenas maneras (que en absoluto consiguió), lo que empujó a Nino a tomar la caja de retazos de tela para estrellarla contra la tierra.

—¡Nino! —gritó su madre, pero como si en realidad no se sorprendiera.

Los retazos volaron por el aire mientras los papeles se desparramaban, algunos llegaron lejos y otros parecieron molerse, derretirse contra los cartones de la caja que se aplanó en el suelo. La ira en sus ojos era tan formidable que si hubiese sido por ella la caja habría tenido que hacerse polvo, desaparecer para siempre del patio y de su memoria.

—Es una bravuconada. ¡Y lo sabés! —gritó Nono palideciendo hasta los labios, que apenas se le abrieron; había algo tan perentorio en su voz que no necesitaba apoyarse en ningún ademán.

Pero Nino seguía crispado hasta la raíz del cabello. Había un encantamiento furioso en él, y lo peor era que gozaba con ese encantamiento, los ojos golosos y furibundos guiaban todos sus músculos, los preparaban para un asalto, estaban a un paso, a un paso, hasta el corazón demoraba los latidos esperando la orden, porque desde el fondo los huesos no querían otra cosa, y cuando ya parecía acometerlo apareció el golpe de la voz:

—¡Basta, Nino! Lo digo en serio.

La madre era la madre. Lo sabía de sobra. Imposible esquivar la pollera de grandes pliegues y los tacones sonoros como la voz. De golpe los nervios de Nino se batieron en retirada, olvidando el arrebato con una prudencia o una pusilanimidad que realmente llamaba la atención.

—Y vos, Nono, cuidá tu lengua, reservala para mejores ocasiones.

Punzantes, las palabras se clavaron en Nono; sólo porque venían de esa mujer él trató de echar su fastidio por los agujeritos que le habían abierto.

—Aquí está... ¡La espada salvadora!

Ino. Convenía que tuviera esa facilidad para la risa y para los modales divertidos. Hizo una profunda reverencia y después corrió por el patio con esa vieja espada de juguete que había examinado un rato antes:

—¡Vamos, caballeros, vamos!... Vamos a la mesa que hay que disfrutar.

Su cabeza relumbró un momento más en el patio y después desapareció en la galería de acceso a la cocina, su voz se escuchaba aún: —Vamos a la mesa que hay que disfrutar... Vamos a la mesa que hay que disfrutar.

Reunidos todos en la cocina, no hablaban una palabra mientras se pasaban la fuente con espárragos, tomates y huevos duros; el aderezo se hacía concienzudamente, como si se tratara de combinaciones muy difíciles de las que dependía la suerte de la comida. Cuando Nino empezó a comer nadie hubiese dicho que lo había sacudido una rabieta momentos antes; comía con las mejillas distendidas y el placer instalado en los ojos.

En un momento estuvo tentado de hacer una broma a propósito de las loas al verano que había escuchado cantar a su madre (la salvaba de comidas más complicadas), pero se abstuvo; sus saltos en el humor eran moneda corriente y no despertaban ninguna simpatía. Aunque en realidad ninguno de los tres era muy diferente en ese sentido.

—Corré bien las cortinas, mamá. Si hay mucha luz tengo la sensación de que el calor aumenta.

La mujer entrecerró los ojos para guardar en ellos una pizca de incomodidad, se levantó con rapidez y cumplió la orden; al volverse una sonrisa amplia le acariciaba la cara:

—Están recién lavadas. Me gusta el olor que despiden ahora... Lástima que no me entusiasme lavarlas demasiado seguido.

—Sí, la cocina da gusto. Al menos todavía no se te ocurrió meter muebles aquí —rió Ino.

Ese solo aparador pintado de amarillo, casi tan alto como el cielo raso, situado a las espaldas de Ino, esos rústicos bancos de madera, esos platos sobre la mesa de motivos jamás iguales, esa luz arrancada al sol del patio con prudencia; eso era la cocina.

Nino y Nono seguían en silencio, cada cual prestaba atención a cosas diferentes, a cosas que nada tenían que ver con ese almuerzo lento sobre el mantel a cuadros. El silencio no era una buena señal, pero su madre confiaba en que todo sucedería como ya era familiar: mucho escándalo pero por muy corto tiempo en realidad.

Habría continuado todo así, pero se interrumpió por el rumor de pasos en la galería.

—¡El Mudo! El Mudo se adelantó un poco, pero era imposible que hoy no viniera temprano —comentó Ino feliz de ahuyentar la desidia por iniciar una conversación.

De verdad la cara del Mudo les hizo dar un respingo. De pie en la puerta, los miraba con los ojos deshechos, sobre todo la piel tenía un color desesperado. No fue difícil entender lo que les quería decir (llevaban mucho tiempo detrás de sus ademanes), por eso lo arrastraron hasta un banco y lo sentaron ahí.

—Lo supe hoy en el quiosco de los Serrano —dijo Nino meciéndose el pelo—. Pero no creí que el Mudo lo supiera. Al menos no todavía. A las nueve tengo que encontrarme con ese hombre del broche. No creo que todo esté perdido.

—¿A las nueve? ¡Tenemos que estar los tres ahí! Mejor dicho, los cuatro. El Mudo nos tiene que acompañar. —Nono sentía vibrar su decisión en el estómago, la sangre volvía a latirle y tenía ganas de hablar:— El Mudo trabajó de nuevo hasta romperse las manos en el corso. Cuántos pozos cavaste vos solo, eh. Cuántos. Mejor hubiera sido que te hubieses sentado en medio de la calle hasta que se hundieran las patas de la silla. Nunca creí que se atreverían.

Caminaba por la cocina y su sombra golpeaba contra los objetos con una tenacidad que hubiera podido deformarlos; en medio de ese ir y venir se detuvo para mirar a Nino:

—¿Cómo no nos dijiste nada?... A veces, Nino, das la impresión de que querés echar a volar para arreglártelas solo.

—No creo que Nino pretenda volar a ninguna parte. Supongo que si no dio tanto crédito a lo que decían, tampoco se le ocurrió venir a contar. Alarmar a todo el mundo no es signo de prudencia.

—¡Uf! Mamá, exagerás con tus intenciones de apagar la bronca. Pero si no nos vamos a pelear. No; porque no hay tiempo —Nino rió un poco; había deseado reírse desde la rotura de la caja y evitado hacerlo con la misma fuerza para que no lo consideraran una debilidad, pero la risa, lejos de hacerlo sentir débil, le daba perspicacia suficiente como para descubrir que los cambios de humor nunca eran en nadie demasiado claros.

—Tenemos que ir a lo de los Serrano para alistarle la ropa al Mudo —dijo Ino levantando los platos de la mesa, sin quitarles los restos de comida, para hacer más rápido.

—Engrasalos bien, así yo trabajo el doble.

La mujer habló vuelta de espaldas, con las manos dentro del chasquido del agua de la pileta. En su voz se demoraba un brillo alegre. Por suerte la acción les demandaría una concentración extra: sin pensamientos filosos, no habría pelea. El Mudo seguía en el banco sin levantar la cabeza, parecía un pichón abandonado a su suerte con las alas a medio alistar.

—Vamos, no estás en penitencia —le dijo la mujer tironeándole el pelo suavemente mientras acarreaba vasos para la pileta—: Falta para la noche; todo va a terminar arreglándose.

—¡Lo que necesita es un vaso de vino! Estoy seguro de que únicamente tomó agua durante la comida. Según el Mudo: poco vino, poco vino, hay que tener las manos ágiles para trabajar. Pero en una ocasión como ésta lo único indicado es el vino, nadie aquí quiere ponerse a llorar.

Nono enarbolaba la botella de vino, sin prestar atención a que ya no había más vasos sobre la mesa; lo único que en realidad le parecía estimulante era el oscuro vaivén espumándose, exasperando su olor por debajo del vidrio, exhibiendo la malsana confianza de que el deseo acabaría por aparecer.

—Guardá esa botella, Nono. Los vasos ya están limpios —dijo la mujer sin haberlo mirado ni por un momento. Conocía a cada uno demasiado bien. Si Nono se entusiasmaba de esa manera la botella debía guardarse de inmediato. Nono no protestó. Y abandonó la botella.

—Aunque la tienda no esté abierta, si entramos por el patio nos van a atender de todas maneras.

Nino había hablado tomando por el hombro al Mudo, que se levantó, dócil; pero sus ojos seguían heridos.

Por más que se esforzaran en no agitarse, en demorar las piernas todo lo posible, con un calor que se rehacía a cada momento, la calle los arrastraba. Envueltos en ese vaho que les doraba las ropas iban fatalmente —como las hormigas al hoyo del hormiguero— hacia la sustancia misma de ese verano.

—Al menos, si jugaran con agua, alguno nos refrescaría —dijo Ino, poniendo las manos a modo de visera para escrutar la calle; quería que brotara en alguna ventana una ninfa de brazos de agua que se le enroscara al cuello.

—Los pozos están secos, y todas las niñas duermen detrás de las ventanas. ¡Ah, el sediento corazón de Ino!

—No sé cómo, con este calor, tenés ganas de pavear, Nono —Ino se aplastó contra la pared en tanto que el resto continuaba la marcha; los pelos de los brazos le hervían y tenía las nalgas mojadas de sudor, un hilito húmedo le entraba en la zapatilla que se desleía sobre la vereda.

—¡Apurate, Ino! No es momento de hacer una siesta, aunque estés debajo de un balcón.

No se sabía ya de quién era la voz, las palabras se abrían paso dificultosamente entre aquella pasta ámbar, llena de estrías por las que el calor echaba su aliento.

"Esta noche a las nueve"... "Esta noche a las nueve".

Por dos veces se escuchó la cita en la calle, aunque las palabras chisporrotearon un poco y luego se deshicieron. (¿Era un alarde de alguien, de alguien que para colmo no daba la cara ya que las ventanas seguían cerradas?) No podían dejar de sentirse como una amenaza.

—¡Ahí! —gritó Ino. Sobre una de las terrazas, esa de la cristera, un bulto parecía moverse, agazapado, parecía que en cualquier momento iba a saltar. Pero de pronto Ino pensó que no, que poseía algo y que iba a abrir su cuerpo para mostrarlo, a lo mejor era furia, una furia acumulada en los brazos y en las piernas que lo haría gritar o quizá maldecir con toda su voz arrojada al vacío. Ino se apretó aun más contra la pared, sus ojos cruzaban la calle persiguiendo el bulto detrás de la cristera. Sentía que a su vez una furia propia adobada con su cabeza, con la parte más estimulada de sus nervios, le crecía, le crecía y lo iba a empujar a la terraza de la cristera a encararse con el bulto.

—Venís o no venís, Ino. Nos van a abrir la tienda —le informaron los demás justo enfrente de la tienda, tratando de apoderarse como podían de la sombra flaca de un fresno flaco.

—¡Tapate los oídos, Ino! Van a empezar con la lata del altoparlante. ¿No oíste que ya lo probaron? ¡Lo tenés casi encima de tu cara, ahí enfrente!

Con desconcierto, con vergüenza, con el peso de un merecido deshonor sobre los hombros, Ino apartó los ojos del bulto que volvía a carraspear de nuevo (pero esta vez parecía la música de una zamba), huyó del verano con toda la velocidad que le daban las piernas y se unió al grupo cuando ya éste, indiferente a su llegada sin aliento, avanzaba por un pasillo vecino hacia la puerta trasera de la tienda.

Por supuesto no hablaron ni una palabra mientras hacían el recorrido a la sombra gracias al paredón contiguo. El calor por unos momentos los había olvidado como presa. Pero algo pasó cuando dieron de lleno en el patio. En realidad no los sorprendió demasiado el yuyal alto, al fin y al cabo los Serrano eran una pareja de comerciantes que dedicaba todo su tiempo a atender la tienda, y últimamente también el quiosco (además tenían un hijo escuálido, de unos diez años, pero al que en realidad tampoco prestaban demasiada atención). Lo que los inmovilizó por unos segundos fue lo que vieron en la galería. Nono, que iba adelante, dio varios pasos hacia atrás e hizo un gesto para que los demás retrocedieran. Cuando el asombro se les secó en los ojos vino el recuento:

Pilas de cartones y cajas rotas, de viruta y papeles de embalar, de alambres y flejes oxidados, de tubos donde antaño se habían enrollado telas y tablas de todos los tamaños que habían servido para resguardar mercadería, se esparcían por el piso o se apretaban contra las paredes.

Desde hacía años nadie había puesto ningún orden ahí. Aunque buscaran esforzadamente no había por dónde pasar. El Mudo se sonrió cuando una rata cambió de escondite con absoluta tranquilidad.

—¿Qué hacemos? —preguntó Nino mirando con desaliento aquello—. ¿Y si le pedimos a Serrano que nos abra la puerta principal?

—No seas estúpido. ¿Creés que a esta hora va a querer que se le meta más gente?

Nono había vencido el recelo y metido los pies en aquella marea de desperdicios. De la cintura para abajo no se veía. En un momento dado se dijo para darse ánimo: "Me felicito por el grosor de mis zapatillas. Cualquier clavo es inofensivo con una suela semejante".

El resto también se arriesgó y de alguna manera llegó hasta la puerta de la galería, donde Serrano los esperaba con la hoja a medio abrir. Nunca se había hablado de cómo vivía esta familia más allá del ámbito del negocio; la mujer seguía siendo hermosa y entibiaba sus ropas con movimientos tenues, se mostraba casi indiferente al hombre afable que junto a ella prodigaba sonrisas y argumentos para vender. Daba la sensación de que cuando se apagaban las luces de la tienda, ellos seguían en ella, trabajando en el orden que habían establecido para lo que ocupaba los estantes y los cajones, respirando en medio de la oscuridad, con la sabiduría en la punta de los dedos para acomodar, para armar y desarmar sólo aquello que habitaba la tienda.

—Cómo se te ocurre atender a esta hora —dijo la mujer desde la sombra sucia del cuarto; era tan estentórea su presencia ahí como el desorden —verdadera prolongación del que reinaba afuera— que se apoderaba de todo. Había un vapor rancio en el aire y lo que colgaba de las ventanas (ropa íntima de mujer, medias y toallas a medio usar) amortiguaba la luz y destruía todo intento de ser más minucioso en la exploración de aquel escándalo.

—¿Te acompaño? —preguntó la mujer al hombre, sin tener en cuenta para nada al grupo que vacilaba en la oscuridad. Desde la indolencia de los ojos y de la voz, le llegó a Serrano la certeza de que no debía aceptar esa proposición.

—Quedate y recogé los platos. La chica no viene hoy —dijo, pero de todas formas no se movió, atrapado por la dependencia infinita, armada a lo largo de horas infinitas pasadas en la intimidad de la tienda.

—¿Qué te pasa? Si les abriste la puerta, ahora los vas a tener que atender —suspiró la mujer sin una pizca de cortesía, abanicándose con la mano. Sus uñas eran hermosas y estaban pintadas; varias pulseras de oro rodaron por su brazo y se lo iluminaron con aspereza.

El Mudo se le acercó con unos ojos en los que se podía medir la profundidad del deseo, pero era un deseo más ligado a la candidez que a otra cosa, porque la mujer parecía una aparición, una presencia del cielo en aquel cuarto sórdido, y era impensable que el placer corriera libremente por las venas del Mudo. Más bien lo que parecía intentar era tocarla, tocarla brevemente, para sentir el pulso de esa hermosura bajo sus dedos, que ignoraban todo acerca de una piel así.

—Pero no me digan que éste es el rey.

Bastó que ella se riera, abriendo la boca, un poco atónita (jamás hubiera creído que aquel hombre oscuro estaría alguna vez a punto de tocarla), para que el Mudo se apartara con espanto; buscó a tientas, con los ojos, a los tres hermanos, cuya solidaridad parecía tragada por los efluvios de la mugre, o más bien por otros muy distintos; tal era el efecto que producía la mujer con el pelo vehemente parada de espaldas a la ventana, a medias en la luz, a medias en la sombra.

—¡Viva el rey! —gritó Nino, arrancándose de aquel estado, y se dirigió hacia la puerta del pasillo de acceso a la tienda por la que pensó que ya había pasado Serrano.

—Un momento, jovencito. Creo que Serrano debe adelantárseles, hay demasiados bultos por el piso y si alguien tropieza me voy a sentir culpable —mintió la mujer para disimular su desconfianza.

—¡Vamos, rey!

El mandato partió de los tres hermanos y no se supo cuál fue el orden que mantuvieron en el pasillo porque Serrano no era ni más alto, ni más corpulento, y se confundió con ellos en el trayecto que los llevó a la tienda.

—Compren rápido que ya me estoy arrepintiendo de haberles abierto la puerta. Hace demasiado calor, y si no duermo un poco de siesta estoy muerto el resto del día. Ustedes me la interrumpieron... Les abrí porque sé lo ocupados que andan con este asunto del carnaval. —Serrano se había desabrochado un botón más de la camisa y apoyado las manos en el mostrador; sin interés, sin la obstinación por la venta en los ojos, parecía estar lejos de ahí.

—¿Sale muy caro esto? —Ino levantó un pliegue de seda, desanimado—. En realidad, a esta hora tendríamos que armar todo con papeles. Mamá debió venir con nosotros. Pero... Quién la arrastra con este calor.

De todas maneras compraban. Indecisos casi siempre, hacían pilas con lo que desestimaban, pero a cada rato las volvían a consultar. Nono colocó al fin los paquetes sobre una caja de botones para contarlos y Serrano le pidió que los quitara porque la tapa se hundía; el inusual cuidado que él exhibía adentro de la tienda hizo reír a Nono. El Mudo se mantenía taciturno, a un costado, recordando el bochorno sufrido en el cuarto vecino; sobre todo recordaba el desdén con que se habían fruncido aquellas cejas perfectas.

—Salgan por adelante. Todavía no es hora de abrir... pero ya no puedo volver a acostarme. Además otra gente debe andar con apuro hoy, y si yo estoy aquí... —Serrano ya había calibrado su instinto de comerciante. Apoyado sin abandono contra una estantería podía precisar sin vacilar el grosor de un algodón o la duración exacta de un tafetán barato.

—Listo.

Nino distribuía los paquetes mientras caminaban hacia la puerta. El Mudo los tomó distraídamente, los ojos vueltos hacia aquel cuarto del que estaba excluido para siempre.

La calle ahora no estaba vacía. Como habían cortado el tránsito para que los operarios alistaran las luces, algunas bocinas quedaron amontonadas en las esquinas. Todo fue muy rápido: el sol con las mismas pretensiones sobre sus cabezas, los gritos de los operarios que algo le decían al Mudo. Y ese esquivar aquello que pudiera llamarles la atención para llegar cuanto antes. Pero la calle vibraba de una manera nueva, los comentarios iban de uno a otro por la evocación de otros días al parecer mejores, de otros carnavales.

Por las veredas algunas personas cantaban repitiendo lo de la propaladora, que había perdido toda cautela y hacía música y anuncios alentando a todos a participar del corso.

—Espero que mamá nos abra rápido —dijo Ino, y golpeó con apremio como para recuperar el tiempo perdido. Contagiados por la misma urgencia los demás golpearon también.

—Entren de una vez. No sean tontos. Está abierto.

La voz había salido por detrás de la puerta, y sin embargo su irritación no conseguía apagarse. Se podía imaginar claramente a la mujer abocada a la restauración de uno de sus armatostes. Seguro se mordería los labios y sus ojos vigorosos seguirían la dirección de las manos; era una neófita, una recién llegada al arte de restaurar, pero sus encolados y el uso del escoplo y el formón merecían que la aprobara el más avezado.

En realidad no estaba entre los muebles, aunque alguno se hubiera caído a pedazos en ese momento ella no lo habría atendido; otra cosa llamaba su atención:

—Esto es un escándalo. Pero algo vamos a encontrar —comentó cuando se vio rodeada por los recién llegados. Sentada sobre unos fardos de ropa vieja desplegaba con apuro, pero estudiándolas, unas camisas de seda.

Como pesando el aire que insuflaba cada palabra:

—El tiempo es escasísimo. Pero todo tiene que salir bien.

—¿Encontraste algo bueno? —preguntó Nino; en las manos de su madre, que se movían graciosamente, las camisas de seda parecían brillar más—. No sé si las vas a poder arreglar.

—Basta de porquerías viejas. Compramos tela y papel suficientes; además es poco lo que hay que hacer —dijo Nono abriendo los paquetes, separando cuidadosamente la tela y las cintas de los papeles.

—Todo a último momento. Como siempre. Yo dije que esta vez no iba a meterme para nada, que me quedaría trabajando en la quinta. ¿Qué me importa a mí el corso? Pero no, soy un tonto, en vez de dejarlos solos en este atolladero para que aprendan termino siguiéndolos de un lado para otro.

Ino se acercó a un rincón y les dio la espalda; por un rato, desde cualquier sitio del cuarto, se oía el rumiar de su disgusto. En el último estante de un mueble que tenía a su lado asomaba el mástil de un violoncelo. Ino levantó un pie y pisó las cuerdas, las pisó tanto que bramó la madera de la caja y su bramido parecía no tener fin, desbaratarse y volverse a armar a cada momento.

—¡Otro más! Me basta con Nino.

La mujer se tapó los oídos pero tuvo que seguir escuchando.

Entonces Nino se acerco, tomó el violoncelo y lo abrazó.

—Un violoncelo no es una caja de cartón.

Caminaba hacia la escalera que conducía al piso de arriba, sus pasos eran rápidos: —De todos modos ése no era un buen lugar para él. Tiene que estar en la piecita. —Nino se detuvo e hizo ademán de tener el arco en la mano.— Y voy a abrir la ventanita que nunca se abre, y mientras mamá duerme voy a tocarle una serenata.

No le prestaron atención. El eco del bramido seguía presente como si todos los espejos de la sala hubieran contribuido a su reflejo, y eso fue precisamente lo que los hizo pensar en la proximidad del corso y en cómo ya no se podía ignorar eso pese a los esfuerzos que hacían.

Tampoco esta vez conseguían creerlo. Había tramos de costura hilvanados solamente, y las partes ocultas de la ropa estaban sin planchar, pero eso no le restaba nada. Había que verlo caminar: en el caminar se veía. La leve ropa flotante, los pies con un olvido terco de lo que hacían todos los días, los hombros apropiados para el peso de esa capa en la que algunos zurcidos apresurados por suerte no habían dejado huellas. Caminaba con una solemnidad de rey debajo de cada uña.

—¡Viva el rey! —vivaron los tres hermanos mirándose por última vez en el espejo del dormitorio del piso alto. Pero algo había en los ojos del Mudo, un temor recóndito, un deseo grande e inútil que no lo dejaba en paz.

—¡Viva el rey! —volvieron a gritar acomodándose las chaquetas rasadas y luego empujaron suavemente al rey para que saliera del cuarto. Todavía no habían dado las nueve y ellos ya caminaban a toda marcha hacia los pinos más altos de la plaza para encontrarse con el arengador, ese que lucía un alfiler con cabeza de dragón en la corbata.

—¡Eh! Por qué no miran por dónde caminan —les gritó sacando la cabeza por la ventanilla el chofer del doctor Castello, en una frenada súbita. En el asiento de atrás la silueta del médico (aún conservaba la barba pero ya estaba encanecida) se movió nerviosa:

—Aunque se me haya asignado un lugar, por supuesto preferencial, no puedo llegar a último momento. ¿Adónde van con el Mudo disfrazado así? Pero es que...

No pudieron terminar de escucharlo porque el auto arrancó nuevamente y sólo pudieron ver cómo el médico cambiaba el maletín de sitio, moviendo la cabeza con aire conmiserativo.

Fue en la calle lateral que desembocaba en la primera cuadra del corso donde lo vieron. Más allá de las luces de los arcos, con una intensa luz propia y sin ningún escrúpulo encima, la carroza de la corona esperaba a su rey. Y el rey no se hizo esperar.

Salió de una casa de grandes ventanales iluminados, abiertos al clamor de la gente. Él estaba muy bello, su traje era bello, y decía palabras que tenían belleza. También era bello lo que dejaba detrás:

Flores sobre las mesas, puertas dobles con herrajes de bronce, olor a limpio, copas altísimas, íconos, un spaniel recién bañado, una mujer que se peinaba apresuradamente con un peine de manguito veneciano, niñas que se agitaban dentro de sus trajes de colombina ya casi en la *entrée*.

El Mudo se puso a llorar; pero ellos lo arrastraron lo mismo, sus tres espadas chocaban entre sí con tanta mezcla de metal, de lágrimas, de deseos de no olvidar nada, de preferir por sobre todo encontrar al arengador bajo los pinos, con la corbata, las solapas sedosas, el alfiler con cabeza de dragón, para escuchar su charla regular armada con vaya a saber qué coherencias perfectamente inaceptables. Pero ya vería el arengador. Ya vería.

¡Las bombas! El anuncio del comienzo del corso. ¿Estaría el arengador bajo los pinos? La gente sale cuando hay un gran corso. Y arrastra a los que tienen una cita, sobre todo a los que en ella tienen que dar explicaciones, explicaciones de por qué dejaron de lado al Mudo, como en este caso. Había muchísimas luces, mascaritas, serpentinas, bandas, carrozas, murgas, bombas. Toda la gente estaba en la calle. Había un gran corso.

III

A él no le gustaba demasiado hablar, pero si sus hermanos estaban ahí, suponía que debía hacerlo. No recordaba de quién había sido la idea pero ese cuarto tan chico, tan del padre, con aspecto de gruta por la sombra, porque esa banderola que daba a la calle no bastaba y menos aún esa ventanita absurda por la que se veía la pieza de ella, con tantos libros que lo ocupaban siempre y que en ese momento quedaban fuera de su alcance aunque los tocara. No era lo mismo para ellos, lo sabía. Creía escucharlos burlarse de él. Vamos, movete de una vez entre los vivos, vas a volverte de papel algún día. ¿Era razonable que se pusiera así? No había motivos para hacerlo, sobre todo sabiendo que eso duraba poco, que dirían unas cuantas cosas acerca de los deseos de cada uno, ocultando eso sí los bordecitos mustios, aquello que no funcionara del todo bien, y se reirían porque eran habilidosos y las ocurrencias aparecerían con la misma naturalidad con que alguien enciende el mechero de la cocina. Lo habían dicho como al pasar, pero ese "Todavía conserva algo de Nino" le hizo dar un salto, un estremecimiento que lo obligó a cambiar de posición en la silla; desde que ellos entraron él quiso guardar los papeles dentro de la caja de zapatos, pero cada vez que lo intentó le pareció un gesto infantil, aunque eso de gesto infantil no era del todo aceptable, los chicos en general son osados, no pierden ocasión de actuar si algo les interesa verdaderamente. Sin jopo, con el pelo estirado, quería ser Marcos a secas, Marcos amarrado a esa silla pero sin ningún tipo de tentación, sobre todo sin la que lo induce a empuñar el arco y le sonroja el espíritu, no las mejillas, especialmente la parte en la que se supone se encuentra el talento, con un olvido absoluto del violoncelo que sonaba por todas partes, dentro de los libros y fuera de ellos, de ese violoncelo que él tenía tan a mano pero que debía dejar de tocar. Que eso olía mal no era ninguna novedad, la banderola estaba abierta todo el tiempo, el cielo del verano de un color acerado como de tormenta ahora le resultaba esquivo pero era una suerte con ese calor, la ventana que daba a la pieza de ella les traía aire embalsamado, aire de ella, en fin, que estarse ahí era sopar, ligarse al perfume y al calor con la resignación al alcance de la mano. Le pidieron ver los papeles; que aquí no están todos, son muy pocos, deben estar en la caja de zapatos, siempre ocultando, eso crea resentimientos, no era lo que nos habíamos propuesto, no, señor, más aún desde que decidimos vestirnos igual. ¿Era esa especie de guayabera fabricada con la misma tela del pantalón, de pinzas profundas y cuatro bolsillos en la pechera, la que les daba rango de trío que no se quiebra? La crudeza del espejo no dejaba dudar. Eran tan parecidos. En tanto él se miraba (lo había colgado ella con el pretexto de que ese cuartito demasiado estrecho iba a duplicarse con el espejo, pero la verdadera razón era para que nadie olvidara la identidad de genes, la sangre que podía circular por las venas de cada uno indistintamente. ¿No había espejos por todas partes?) los otros dos taparon la caja y se acercaron sonriendo, delante de él se extendía lo amistoso, al fin y al cabo eran hermanos. ¡Qué reflexión!, pero él se sintió de golpe conforme con esa reflexión, sonrió también y el espejo devolvió tres figuras sonrientes. Ella no estaba pero saltaría de gozo donde estuviera, tenía un olfato especial para esos acercamientos, ese apenas rozarse el hombro y conseguir que los huesos más escondidos se pusieran de acuerdo.

Hubo un ruido en la calle; no era de extrañarse porque cuando se estaba en carnaval los ruidos iban en aumento, a veces entraban por la banderola y terminaban con la tranquilidad, pero éste había sido corto, seco, aislado, y no había vuelto a repetirse.

—Ábranme bien la puerta... ¡Por favor!

La madre entra con una escalera, lleva la cabeza rodeada por una trenza, las mejillas las tiene viejas pero no los ojos que miden cada centímetro.

—Tienen que apoyar esta escalera justo debajo de la banderola, no van a perderse el corso otra vez. ¿Qué pasó con la caja? No está en el lugar de siempre, es una caja que yo no pierdo de vista, y la tengo en cuenta cuando me siento a escuchar el violoncelo del otro lado de la pared. Pero a veces me parece que hay muy poco ahí, si es la misma que tenía el padre de ustedes, y el pobre... ¿Qué guardó adentro?

Los tres hermanos se apuran a tomar la escalera para colocarla debajo de la banderola abierta. Tropiezan, se traban, pero las piernas terminan volviéndose respetuosas y cada una ocupa su sitio. Miran a la madre buscando aprobación, las manos siguen en la escalera, en algún momento subirán por ella para espiar el corso y luego comentar lo que probablemente no tendrán ganas de comentar.

—Estoy segura de que Simón, que todavía conserva algo de Nono, va a subir primero y después que lo espíe todo nos va a contar con esas palabras tan bien dichas lo que está pasando allá afuera. Claro que para eso, Juan; sí, sí, también él conserva algo de Ino. ¿Tengo que decirlo en este momento? Va a tener que estarse quieto y no ponerse a golpear con un martillo algún clavo salido.

La madre sonríe, uno por uno sus dientes exhiben lucecitas propias. En el fondo de su sonrisa hay una obstinada ternura; palmea a sus tres hijos y se va.

No hubo más ruidos pero él sabía que los tres pensaban lo mismo. Después Simón dijo no puede ser. ¿Cuántas veces nos ha dolido el estómago? Ahora mismo lo estamos sosteniendo con mano temblorosa. Si el Mudo quiere llamarnos la atención dando golpes en la calle es cosa de él, pero tiene que entender que ya está viejo, que a cierta edad ya no se puede hacer alarde de nada. Pero el dolor de estómago les venía de otra cosa, de saber que ya no podían salir con sus espaditas a la calle a desafiar a nadie, que el arengador del alfiler con cabeza de dragón ya había muerto y que los que lo reemplazaban (ahora había más de uno) recorrían la calle de arriba abajo con bastones de marfil genuino en la empuñadura.

Él iba a decir algo pero Juan tocaba el piolín con que ataba la caja de zapatos y eso lo detuvo, después de todo tenía nervios. No, no voy a abrirla, no, Marcos, de ninguna manera, eso te da a entender que ahí hay papeles escritos que pueden servir para algo y después negarlos, mantenértelos en el buche como si fueras una Scherezada pero con mucho menos ingenio, no es de buen gusto. ¿No te parece?

Él habló y dijo que la ironía se la había visto utilizar otras veces, que era un Juan tan poco dotado para las cuestiones del habla que era mejor que se dedicara a remachar los clavos de la casa, porque seguramente habría muchos que podrían herir a los que se apoyaran desprevenidos.

¡Ah! ¡Ah!, dijo Juan, se levantó y le golpeó la cabeza con las dos manos, para enterrártela hasta los hombros, le dijo, y se rió tanto que las lágrimas le nublaron los ojos y entonces se apartó y se sentó para enjugárselos frotándolos con el brazo.

¡Schunn...! Algo voló por el aire y cayó a los pies de Simón, era un bollo grande de papel que había sido lanzado a través de la banderola; la prevención estaba, por supuesto. ¿Quién dudaba que lo del Mudo iba a terminar en algo escandaloso? Pero sin embargo Simón se agachó con aire de sorpresa, lo abrió y vio algo escrito; finalmente le pidió que lo leyera, y él dio a la lectura un tono ceremonioso:

—He aquí mi voz, la voz de Marcos para todo el mundo; sucede que el bollo es algo más que un bollo porque lleva un mensaje adentro: "Estoy esperando que me abran la puerta", así dice el mensaje... doy fe.

Eso lo agregó cuando vio que los demás desconfiaban y se acercaban a mirar, pero la letra era torpe y las arrugas del papel la volvían más ilegible; entonces creyeron, sobre todo porque él le había enseñado al Mudo a escribir algunas palabras. Pero ese mensaje lo había escrito otro, seguro alguno de los operarios que colocaban las luces y deseaban que el Mudo se dejara de molestar.

¡Schunn...! Otra cosa voló por el aire, pero esta vez era Juan; había tomado el piolín de la caja, hecho con él un rollito, y lo había lanzado al aire con una dirección cuidadosa; le pegó a él, por supuesto, por eso en sus ojos azules había tanta alegría; conseguido el blanco hubiera podido tranquilizarse, pero no, desparramaba su alegría, y ahora tampoco Simón la evitaba, ambos lo miraban infinitamente alegres aunque él, con el piolín en la mano y la boca cerrada, tratara de hacerles entender que aquello no era necesario, que podía ir por los recovecos de su rencor y luego volver y estar dispuesto quizás hasta a abrir su caja de zapatos.

—Esto de subir esa escalerita infernal me tiene cansada, pero aunque me duelan las piernas no tengo más remedio. ¿Qué hago con el Mudo? Yo sé que ustedes ahora se reúnen muy de vez en cuando y que justamente hoy no quisieran a nadie más en la rueda, pero... ¡Es el Mudo!

La madre jadea un poco y Simón le acerca un banco para que se siente; no sólo Simón se ha movido, también Marcos y Juan. Con cierta desilusión por no haber podido llevar a cabo ese gesto cortés, éstos se apartan y quedan en la penumbra. Bajo la luz muy pobre que da la lamparita del techo (el velador de la mesa de trabajo de Marcos aún no ha sido encendido) Simón se para, también lo alcanza la claridad confusa del atardecer que consigue saltar por la banderola. Va a decir algo pero no se anima. Duda. Agita los brazos imitando al Mudo, pero de pronto da unos pasos y toma de la mesa de Marcos el papel desplegado del mensaje, vuelve a hacer con él un bollo y lo arroja a la calle por la banderola.

—Yo tengo voluntad; hasta fui capaz de arrastrar esa escalera hasta aquí arriba. Pero en ciertas decisiones no me meto. Aunque... ¿Es justo?

La madre se levanta y camina hasta el espejo medianamente grande que ha puesto para que se amplíe la habitación. Se mira en él con minuciosidad pero no corrige las trenzas que se le han aflojado un poco, mira otra cosa, mira sus rasgos y desconfía, han empezado a vaciarse: es en el desagrado donde se vacían. No quiere compararlos con aquellos otros de las figuras amontonadas en el fondo, esas tres figuras que no son más que sus tres hijos que cierran los ojos y se mantienen así, sin querer mirarla, por un rato largo.

—Voy a tener que cambiar el espejo de lugar. Aquí no refleja todo lo que quiero que se refleje. De todas maneras lo ponga donde lo ponga siempre va a quedar mucho afuera —dice la madre y sonríe con desaliento, y esta vez sí se acomoda la trenza y luego se da vuelta y mira a Simón tan mal iluminado por las temblonas corrientes de luz que lo envuelven.

—Quiero que de nuevo consideren lo del Mudo, no me voy a ir tranquila si no me lo prometen —agrega, y se va con un paso menudo, un paso de vieja, un paso donde los pies dudan si van a encarar o no el próximo tramo. Recién cuando escucha que sí, que van a considerarlo, el paso es un paso de madre capaz de alzar una escalera y subirla hasta aquel cuarto.

Simón, que todavía conserva algo de Nono, se atrevió a moverse después que desapareció su madre, no le importaba ahora acercarse al escritorio, encender la luz y decirle con los ojitos juntos como si se los hubiera atado con un lazo, es ridículo, Marcos, tanto hablar sin ningún resultado, pero por qué el Mudo que sí, el Mudo que no, si en el fondo nada tiene importancia, esté aquí o no esté da lo mismo porque perdió la corona, la perdió y ahora nosotros no podemos aguantar sus ojos exasperados. Sí, dijo él y desplegó apenas los labios, pero algo se le escapó por ahí, por ese agujero estrecho, un silbido, un soplidito, casi un cuac cuac de pato. Miren que lo intentamos muchas veces, eso tendría que tranquilizarnos, dijo transformando el cuac cuac en algo mucho más aceptable. Y Juan: ¿pero seguro vas a poder dar cuenta de los intentos? Te alcanzan los dedos de una sola mano, esa que movés por el aire con un entusiasmo penoso, guardátela en el bolsillo, el último del lado izquierdo de esta especie de guayabera, nos basta con los ojos y ese tono de voz que no vas a poder mantener demasiado rato. Y él entonces cerró la boca, y Simón también, y schunn... volvió el bollo del Mudo, y él se decidió y subió por la escalera apoyada a la pared repleta de libros y de fotografías de cuando ellos eran chicos y no tan chicos, y de sus padres en poses descuidadas porque su padre odiaba las poses, y llegó hasta la banderola, y olvidó por completo los ojos de su madre que lo miraron desde una foto enorme cuando estuvo a ras de ella.

¡Eh, Mudo!... ¿Estás ahí?, gritó metiendo la cabeza en el agujero de la banderola que por suerte abría al cielo. Había estado encerrado tanto tiempo en el cuarto que ese cielo uniforme e intenso pese a las luces prendidas del corso, el aire limpio intranquilizado por el atardecer y el movimiento de la calle lo incitaron a sacar también un brazo por aquel agujero. Quemaba, literalmente, la pared quemaba. Había recibido el sol toda la tarde y ahora ardía bajo su brazo. Una columnita de humo llegaba hasta la banderola, no, no era humo, era aire rizado que se encabritaba por el calor y el sol entero reunidos ahí. Quitó el brazo y se acomodó mejor. Del otro lado de la calle la mujer que hacía la limpieza en la casa nueva del médico, frotaba la placa de la entrada. El doctor Castello se había puesto a vigilarla, estaba situado detrás de la ventana cerrada por el calor, y el relumbre de los vidrios aumentaba el brillo de sus anteojitos ahumados. Ahora viene lo de siempre, se dijo, y a pesar de ese "lo de siempre", se acurrucó en su curiosidad, en su deseo de volver a mirar aquello que "lo de siempre" no salvaba su tinte particular y hacía que él quisiera examinarlo más de cerca cada vez.

¡Epa! Te vas a caer por el agujero si seguís empinándote así. Pero, ¿dónde está el Mudo? No pudo haber ido demasiado lejos con toda la bronca de los bollos que armó. Justo ahora que habíamos decidido hacerlo participar. Después de todo a veces nos conviene un chito a la boca, pareciera que el acuerdo llega más velozmente, dijo Juan, que todavía conserva algo de Ino, tirando de su pantalón, riendo sólo un poco porque la risa se le había quedado a mitad de camino, quizá más cerca de la hostilidad: hacía rato que él quería que el Mudo entrara. Como querían todos, por supuesto, nada más que con Simón, curiosamente, se habían apartado de las palabras, desconfiando, con una desconfianza que se notaba recién adquirida, recién sacada a relucir para dar a entender que algunas actitudes eran más efectivas que las palabras; de ahí su subida por la escalera, y de ahí también ese largo mutismo de Simón en un sitio oscuro, debajo de una alacena oscura que guardaba libros.

El doctor Castello está en la ventana, dijo él. Y Juan: No te ocupes de Castello ahora. Todavía es temprano, no va a salir. No te olvides de que estamos en carnaval. Va a esperar a que haya más gente.

Terminó de bajar la escalera con un ruido seco, sac, sac, sus zapatos rasparon el piso. No te equivoques, Juan, no quiero perderme a Castello justamente hoy, porque aunque no se los vea, por los lentes y por la distancia, sus ojos van a tener una mirada singular, una mirada de desván donde los trastos —lo que no sirve y huele mal— son los que aparecerán seguro. Pero Juan no lo escuchaba, ni tampoco Simón; ambos se asomaban a la puertita que daba al hueco de la escalera para escuchar los rumores, ciertos grititos, y sobre todo el apremio de unos pasos que venían a recriminar (los cargos eran insoslayables) ese desentendimiento cómodo al que habían echado mano, decían que los acontecimientos... las ideas complejas... pero la verdad era que se estaban cruzando de brazos, se estaban derritiendo, se derretían con una rapidez increíble, como si estuvieran siendo alcanzados por un material abrasivo.

—¿Quién tiene que hacer de cicerone en esta casa? ¿Quién? El Mudo me ha dado a entender que nunca estuvo en esta piecita. No sé si creerle o no, pero lo cierto es que no puedo dejar en paz a mis piernas; a cada rato tengo que subir para evitar que se cometa alguna tontería. Desde el principio supe que el Mudo terminaría aquí, así que basta de evasivas y consíganle un sitio.

La madre habla mientras empuja con suavidad al

Mudo, que no sabe dónde meterse. La libertad, la pizca de audacia que había demostrado al subir las escaleras, parecen muertas.

—No te descorazones ahora. No tiene gracia. Demasiado trabajo me tomé yo arrastrándote hasta aquí arriba. Mejor será que te sientes. Ya sé que ellos no te resultan muy amigables aunque te estén mostrando la dentadura.

No los mira. La madre no los mira. Obra como si ningún vínculo los uniera, como si se hubiese desembarazado totalmente del pasado y a cada instante encontrara una nueva razón para aumentar las atenciones para con el Mudo. No tiene en cuenta el rencor. Sin embargo el rencor endurece las mejillas de los hijos y les marca una línea blanca a la altura de las mandíbulas.

El Mudo entra en confianza, poco a poco se apodera del cuarto, que se vuelve cada vez más amistoso debajo de sus zapatos. Sonríe. Los hijos ablandan la mirada de la madre en el momento en que queman el rencor y palmean al Mudo.

—¿Por qué no hacen un poco de música? —dice la madre y pasa un dedo por las cuerdas del violoncelo—. Me cuesta admitir el fracaso... ¡el violoncelo! Cuando lo traje hace tanto tiempo pensé que sí, que podrían arrancarle algo bueno. ¿Por qué no prueban con la guitarra? Toquen algo simple. Algo que no les exija demasiado. Quizás ése sea el instrumento justo para ustedes, así rasguean, no hay que olvidarse de las condiciones que deben tener los dedos —en su voz hay una dulzura extraña, pareciera querer estar de espaldas a lo cruel pero un temblor frío se le escurre por la comisura de los labios. Al menos ellos sienten cruel ese gesto de la madre de tomar la guitarra casi amorosamente, tendérselas y buscar con los ojos (mientras la madera vibra bajo su presión) quién rascará las cuerdas.

Al principio parece que va a ser Simón porque abre de par en par, resuelto, la ventanita extraña por la que se ve el cuarto de abajo, el cuarto donde ella duerme sus sueños de oro, donde las bandas presidenciales pueden aparecer de repente y cruzar el pecho de los que están próximos, los que están aquí nomás, en el cuartito, aguardando. Y todo va a volverse parejo y grato, todo va a estar bien, en cualquier parte. Y ella ya no va a andar a los saltos buscando muebles destartalados para los que se los pidan, sacando los brazos de cuartos destartalados. La madre tose, está desasosegada, dice que es un desasosiego inútil el que tiene, un desasosiego de barro, pero que ella lo cuida, lo humedece con lágrimas, con saliva, que tampoco evita los humores más sórdidos ni, ¡por supuesto!, los más estimables; ríe y habla de la sangre, la de sus venas insignificantes, y de aquella que fluye amplia hacia el corazón y se arremolina ahí y se violenta pero no se para, no se para porque debe alimentar su corazón que está hambriento y late para cuidar el barro. Dice que está segura de que hay una guerra en todos los rincones donde llega el aire, muy a la vista, nadie puede decir desconocerla, nadie puede negar sus estampidas y sus llamaradas, pero es mejor volver la espalda, por distracción, elegir ese aire inocente aunque esté empapado de un conocimiento malo. Ella cuida el barro, lo amasa sobre la almohada, lo perfuma y lo lava, le agrega la dosis de candor necesaria para que siga siendo barro y no despierte una mañana y no le quede nada. La madre tose y se atraganta, siempre se atraganta cuando le viene algo así.

—Entonces Simón no va a tocar la guitarra —dice y mira a Marcos y también a Juan y olvida a Simón acodado en la ventana. Pero nadie mueve un dedo para tomar la guitarra, es más, nadie sabe bien de dónde la sacó, todos conocen el violoncelo, y por él hicieron el esfuerzo de empuñar el arco, manipular las partituras, estudiarlas.

La madre deja la guitarra y abandona el cuarto, el rumor de sus pasos por la escalera no se inclina aunque sus pasos parezcan menos que pasos. Cuando entra en el dormitorio es una figurita estéril, como si ya nunca más supiera qué decir, pero toma su banqueta y la arrastra hasta la ventana. No mira la calle, aunque lo parezca; toda ella está pendiente de aquella ventanita, de los detalles, sólo quiere hacer eso, atender hacia la ventanita con las manos apretadas, pues la dureza no debe escapársele, no porque cambiaría el carácter de ese tomar asiento; se sienta en la banqueta.

El Mudo caminaba, tap, tap, tap, tap, con pasos ordenados; había hecho un recorrido que se iba estrechando cada vez más en torno de la caja, devolviendo recelo por recelo, apenas los miraba. ¡Ah, los tres hermanos sentados todos juntos al pie de la escalera! La caja de zapatos estaba ahí, al alcance de su mano, no hacía falta más que abrirla para terminar con su aire de sospecha, de botín codiciado, porque se la suponía llena de maullidos o de acordes especiales. El Mudo no creía nada de eso, había presenciado muchas conversaciones absurdas, de los tres, acerca de la caja, y ahora estaba dispuesto a terminarlas. Bastó que le quitara el lazo, tomara las hojas y se las acercara a Marcos para que fuese olvidada la discreción, y las orejas de todos crecieran y se inquietaran.

Marcos ajustó su voz y ella cedió a sus exigencias, no hizo falta nada más, nada más, cuando decidieron bajar justo en la puerta de entrada porque la calle, tan oscura, tan metida dentro del silencio, no ofrecía ninguna garantía. Pero el salón era otra cosa, iluminado como un transatlántico, solo, con esa luz triturada por los ventiladores del techo y alimentada por un generador a nafta que se balanceaba entre los trigales. Un casamiento en el campo acapara entusiasmo, también curiosidad. Los tres se pararon muy cerca de la puerta y desplegaron su curiosidad como si todo ocurriera ahí, a tres pasos de distancia. Todo. Aunque después hubiese que descoser los pequeños sucesos, uno por uno, volverlos del revés y encontrar las pequeñas hilachas (en sus charlas en el cuartito sucedía así, exactamente), ahora la vida era eso: una fiesta de casamiento en el campo.

—Querés que te vean todos. El primer orador de la noche... ¿Qué opinarán del segundo? Al menos, de pinta, me veo mejor. —Marcos rió y tiró del saco de Simón, que se había adelantado un poco.

—No hagas alardes de ese tipo. No estando yo aquí —dijo Juan siguiendo la broma, irguiendo los hombros. Pero tenía razón. Si se fijaban adónde tendían las miradas —las de las mujeres que estaban cerca— se llegaba a la evidencia: era hermoso; su apostura la sostenían una cabeza y un cuerpo inestimables y una manera de moverse como si nada nunca le creara incomodidad.

—Es necesario que nos sentemos en un lugar como la gente —dijo Simón, que no había atendido a ninguno de los dos porque sus ojos pasaban revista a las mesas; alineadas unas al lado de las otras, con manteles blancos y ramilletes multicolores, el perfume de las fresias las iluminaba de un amarillo que doraba todo el salón.

—Esas mesas hacen sentir mi estómago completamente vacío —agregó encaminándose hacia la del centro, cuyo ramo era más grande que las del resto, bordeado por moñitos de seda y una hilera de espigas maduras. Algunos invitados que estaban ubicados ahí, los miraron con reprobación; eran robustos, con el lazo de la corbata cuidadosamente ajustado y una sobriedad que se adivinaba poco natural.

—Es para los familiares —dijo uno de ellos, con las mejillas y la nariz de curvas inflamadas siempre a punto de estremecerse; por sus ojos se abría un permiso del que se apoderó rápidamente Simón para sentarse:

—Nosotros tenemos a cargo los discursos —dijo timbrando su voz de una gravedad tan elegante que el invitado rollizo dijo que sí, que en ese caso podían tomar asiento, que no había problemas.

Juan lo hizo a disgusto; el pelo moreno, lleno de onditas despabiladas, de una muchacha que no podía estarse quieta en la mesa vecina, lo hacía pensar que estaba ahí para él. Pero había muchas, con amplias faldas y escotes de tijeras cuidadosas, de blanco, de rosa, de colores vibrantes, aquí, allá, en todo el salón. Finalmente, cuando acomodó sus piernas debajo de la mesa, un cuello redondito, ceñido suavemente por una rosa de tela, lo obligó a volverse; entonces los ojos azules y la sonrisa pareja ahuyentaron sus distracciones por un rato.

—¿Es usted pariente de los novios? —preguntó, seguro de lo obvio, pero era mejor eso a: "¿No hace demasiado calor aquí?". La chica contestó que sí y esperó algo más, pero Marcos y Simón, sentados enfrente, lo distrajeron a propósito preguntándole qué era conveniente, si hablar con el papel o dejarlo en el bolsillo. No hubo tiempo para dar opiniones porque ya entraban los novios y todo el mundo abandonó su asiento y se encaminó a saludarlos.

—Viajaron hasta el pueblo para hacerse fotos, por eso demoraron —dijo la chica de la rosa de tela poniéndose de pie. Y Marcos pensó decir: "La espera no nos molestó para nada; mientras la gente charlaba nosotros pudimos conocernos". ¡Cuidado! Sus ocurrencias eran realmente audaces.

Por los ojos de ella pasó un ramalazo de decepción (Juan se había levantado y acercado a las ondas morenas que flotaban en el perfume de las fresias).

—Voy a saludar a la novia —dijo y se alejó, las caderas movidas airadamente por el orgullo, las piernas un poco gruesas sobre los zapatos. No miró ni por un momento a Marcos.

—¡Juan!... Creo que vamos a tener que acercarnos nosotros también —Simón lo llamó. No quería ser descortés. La cortesía le daba seguridad, y decidió que el gusto o el disgusto de sus hermanos debía quedar por el momento fuera de consideración.

—Esperá que se aleje nuestra vecina. No se va a alegrar si me ve rondándola —Marcos habló aparentando una pesadumbre que no sentía, porque su cabeza estaba ocupada en armar las frases que debía decir después que Simón. El salón era ahora una amplia calle donde las palabras se exhibían sin pudor, había escaparates con ellas y también subastas en las esquinas, con subastadores que no conseguían adjudicárselas a nadie porque la gente en medio de la fiesta las ignoraba completamente, por eso él podía elegir con toda comodidad: "Ya vamos", le dijo a Simón, pero no se movió. Tenía los labios entreabiertos en una sonrisa de placer, los ojos puestos en el mantel, los ojos, lejos, tan por encima del mantel, en la calle de las subastas de palabras, la calle del placer que le pegoteaba los ojos.

—¡Epa! Marcos, parecés a punto de dormirte. No estaría bien aquí. —Marcos agrandó su sonrisa: "Estoy mucho más despierto de lo que creés". Y se restregó los párpados untuosos.

—¡Por Dios! Tienen que mirar la calle ahora. —La madre, entre colérica y divertida, salta de la silla y se lanza al balcón. Sus ropas y sus gestos sudan luz, es una luz deforme que molesta los ojos pero que no evita las risas de sus hijos y las del Mudo disparados por las escaleras.— Simón, apurate, quiero que me cuentes con esas palabras tan bien dichas lo que está pasando ahí afuera. —Ríe y mira; pero no le basta mirar, quiere que alguien le cuente, le repita lo que está viendo, porque así su cabeza va a estar ayudada, dice, dice que así va a tener más intensidad la corriente de su pensamiento y que las ideas podrán chapotear a gusto, sumergirse y volver a aparecer, y luego entibiarse al calor de las emociones todo lo necesario.

—Es extraño, pero no hay demasiada gente. No parece que el corso estuviera a punto de empezar. —Se acerca a Simón que jadea por la carrera, le pasa un brazo por sobre los hombros y con el otro señala la vereda de enfrente, donde el doctor Castello está abriendo la puerta de entrada de par en par. No ve al Mudo ni a Juan alineados detrás, un poco turbados porque no les gusta cómo se arrojan sobre ellos los foquitos del corso encendidos de golpe.

Él estaba solo subiendo la escalera para alcanzar la banderola, las fotografías no eran una compañía agradable, aquellos ojos no juzgaban lo que hacía y sin embargo hubiese dado cualquier cosa por evitarlos, incluso los ojos propios, los que le pertenecieron en un pasado y con los cuales ya no había ninguna relación posible. ¿Qué podrían decirle clavados en un pensamiento que los iluminó fugazmente y del que ya no quedaba ni el rastro? Sin embargo, abiertos ahí, brillando mortecinamente en la pared de la escalera, le creaban la ilusión de ser un fantasma de historieta, una apariencia de individuo donde la vida remota había dejado ese resabio de movimiento. En mitad de la escalera estaba perdiendo el deseo, palpó una mancha de humedad, cubierta de verdín, y entonces le llegaron los gritos, las frases que se interrumpían, que describían una curva en el aire y luego se retraían para apretarse en un punto, después invertían el recorrido y volvían al balcón. Sin embargo ahí estaba, sacando la cabeza por la banderola y mirando cómo la mujer que hacía la limpieza en lo del doctor Castello salía con la regadera con creolina y se ponía a regar el tramo de vereda que abarcaba la casa para desinfectarla. No sólo la humedad lechosa que se extendía sin dejar claros y el fuerte olor a alquitrán desalentaban a los que habían llegado al corso (nadie se atrevía a avanzar un paso por la vereda), sino la presencia de Castello en la puerta, que tomaba la mano de su hija con la cabeza levantada al cielo como si rezara y una presión altiva en los hombros y en las rodillas. Recién cuando la vereda quedó totalmente desinfectada y la mujer de la limpieza desapareció por una puertita del jardín, Castello empezó a pasearse con su hija, que no dejaba de conversar; tenía alrededor de seis años y era flaquísima, aplicaba sus pies al piso con una seguridad objetiva, flexible, sabía que sus piernas igual que palitos no se quebrarían por unos saltos de más, se soltaba continuamente para recorrer todo el espacio regado y luego volvía a la mano de Castello y a la conversación que había abandonado hacía instantes.

Reunidas en la esquina, algunas carrozas esperaban el comienzo, pero las bombas se hacían esperar, no tenían el esplendor de antaño y era sabido que esta vez el número era mucho menor; nadie merodeaba, no había nadie lo bastante curioso que intentara acercárseles; la caminata del doctor Castello y su hija, siempre preguntando lo mismo: ¿Hasta dónde regó Cora, papá?, acaparaba la verdadera atención.

Cuando las risas de sus hermanos llegaron hasta la banderola Marcos las apretó en un puño junto con la propia, las mordió para sentir el regusto amargo y luego las lanzó por el agujero como quien suelta una paloma que debe seguir una ruta fija. Pero las risas no fueron advertidas del otro lado, con una extraordinaria indiferencia por todo, incluso por el corso, cuyas bombas reventaban en ese preciso momento; se entregaban a la contemplación de la partida de Castello y de su hija que ya cerraban la puerta, ya se instalaban para ver pasar las carrozas detrás de la ventana de vidrios relucientes y hojas cerradas debido al calor.

¿Dónde están las hojitas? Las quiero antes de que alguien las desparrame. Porque nunca se sabe, un viento imprevisto puede arreciar por la banderola.

Simón gustaba decir esas cosas pero él no lo consideraba necesario, esa vocecita ronca con una pizca de sorna que subía por la escalera no iba a obligarlo a dar unos pasos más de los que ya había dado. ¿Que con qué objeto no había participado del balcón? ¿Que era imposible mirarlo todo por la banderola? Antes de dar explicaciones convenía tomar las hojitas nombradas, esas con olor a encierro, a aciertos precarios, a desilusión que aparece como si nada, y esperar a que se sentaran, por favor fuera de los sitios más luminosos para no verles las caras y sí tratar de ver la de la novia, tan pálida, con su corona de azahares artificiales abrochada al pelo largo, negro, abierto sobre la frente para despejarla, con el tul de ilusión que le acariciaba las orejas, le rozaba los hombros y le caía sobre la cola muy amplia, de organza, desparramada sobre el piso como un nenúfar gigante.

—¡Es divina! —dijo una mujer rubia mirando con desconcierto al novio, un poco pelado, blanco vulnerable de sus pensamientos: ¿Cómo pudo ella? Tan delicada. Él y su cara rojiza y esas entradas. Nada da más disgusto que un novio por debajo de la imagen que se ha alimentado.

—¡Que se sienten los novios! —gritó alguien, y ahí había más impaciencia que cortesía, jugos dispuestos ya en la boca por un estómago exigente.

Después de saludar los hermanos volvieron a la mesa y siguieron soportando la amable hostilidad de sus vecinos (quizás aumentada porque habrían supuesto, durante el momentáneo abandono, que no regresarían). Pero la chica de la rosa al cuello no había vuelto.

—El despecho no es buen consejero —bromeó Juan; aunque la broma se le desmoronó cuando la vio entre la gente sonriéndole a un muchacho de espaldas decididas, tan anchas como para que se les rindieran tributo. Un acordeonista se entregaba a hacer una música ligera que empalagaba más que las fresias, las onditas de la mesa vecina (a las que Juan se había acercado y conseguido sólo muchas risitas, unas tras otras, igual que un campanilleo) seguían el compás. Pronto se unieron dos guitarristas para darle más cuerpo a la música; como los novios avanzaban en medio de la gente buscando la mesa principal, el aire debía restallar, pegar con fuerza pero cadenciosamente en los oídos para que las conversaciones disminuyeran y los ojos se deslizaran sobre ellos, especialmente sobre la mancha llamativa de tul, siempre tan atenta a los vivas y a los buenos augurios.

—¿Me guardaron el asiento? —preguntó, por detrás de Juan, rozándole apenas la espalda, la muchacha de la rosa. Como sus ojos azules eran amistosos y además bonitos, la recibieron con agrado.

—Nos vamos a divertir —dijo Marcos mirando a Juan, que seguía el compás de la música distraídamente con la cabeza, y como no bailaba jamás, Juan supo que se la cedía. "¿Qué otra cosa le queda?" Murmuró con cierta picardía al volverse para apartarle la silla—: La estábamos esperando.

En el centro del salón los novios brillaban como nunca y ya bordeaban la mesa para ocupar sus asientos; entonces, desde distintos ángulos, en signo de festejo y de alianza cariñosa con ellos, llovieron los confites. Llovían profusamente, parecía que en el techo habían abierto la compuerta de un horno de infierno por donde escapaban todos; eran enormes, de un olor muy pegajoso, cuya pasta azucarada de muchos colores trizaba el aire y caía sobre las cosas con gran ruido. Por supuesto los confites no caían desde el techo y muchos de ellos tenían quienes les elegían direcciones precisas, por eso la vecina de la rosa se puso a chillar sin decoro; le habían dado en un ojo, gritaba que tenía una sensación de quemadura y se lo apretaba con un pañuelito para detener las lágrimas. Su mirada ya no era la misma, aquel bonito parpadeo azul tenía ahora dos bordes rojos y temblorosos que no podían disimular la hinchazón que avanzaba.

—¡Esto es increíble! —dijo Juan apretándole suavemente la mejilla dolorida—. Va a necesitar una compresa fría.

—Mójeme mi pañuelo, por favor —se lo tendió sin resignación, ordenando, como si fuera preciso encontrar el agua helada que la curara instantáneamente.

El novio agitó los brazos por encima de su cabeza, un poco para guarecerse y otro poco para pedir una tregua; la novia, detrás, se había envuelto con el velo la cara y se encogía tratando de que su tocado no sobrepasara la espalda de su marido. Sobre el piso, los confites brillaban maliciosamente y los chicos se apuraban a recogerlos para alcanzárselos a sus padres y a sus hermanos, que volvían a lanzarlos de inmediato. Simón pidió a un mozo que los barriera de una vez y muchas voces se unieron a la suya. En realidad todo había durado muy poco y lo de la novia y el novio parecía un gesto intencional, un equívoco que ellos querían mantener para aumentar el tono escandaloso. Hubo muchas risas, algunas barridas y sobre todo chicos que corrían llenándose los bolsillos. Juan acabó por traer el agua helada, pero el ojo de su vecina se recompuso a medias.

—Esto es demasiado fastidioso —dijo ella, cubriéndose parte de la cara con el pañuelito. Había abandonado el interés por todo, y su ojo sano, muy abierto, fijo en el desaliento, se entretenía en evaluar su belleza estropeada.

Justo debajo de las luces más grandes se alinearon los mozos, levantaron las fuentes a la altura de los hombros y mantuvieron una actitud rígida como de soldados antes de entrar en combate. Sólo después de los aplausos desarmaron la fila y se dispersaron entre las mesas. Los platos se cubrieron con fiambres elegidos con mucha anticipación dispuestos en abanico, pickles y ensaladas cremosas, las copas ardieron y, acompañada por un apagado ritmo de cubiertos, la excitación rodó por el bordado de los manteles. Muchos comían con osadía, los que se atrevían del todo trataban de que el mozo no disminuyera su atención sobre el lugar donde estaban sentados, y continuamente se volvían para vigilarlo.

—Esto está muy sabroso —dijo Simón mirando a Marcos—. Las palabras te están liquidando la comida —agregó y se rió abiertamente al ver que Marcos casi no la había tocado.

Marcos rió también y movió el tenedor. No podía entender cómo Simón podía disfrutar todo a la vez: la comida y el discurso que se avecinaba. ¿Qué había entonces en su cabeza propensa a intervalos, donde únicamente el mérito de las palabras, su sabor esquivo, fulguraban? El aroma del plato que no le llegaba, quieto ahí, era un alarde torpe, inconcluso. Y esa nariz suya puesta solamente a perseguir el olor prófugo de las frases, las que olían de esta o de esta otra manera ahora estaban tan unidas a la confusión general que, si seguía las conversaciones o metía un bocado en la boca, las perdía irremediablemente.

—Creo que falta poco. Muchos están terminando, fijate cómo se apoyan en el respaldo de las sillas con aire satisfecho. Espero que el alcohol no los haya embotado demasiado y nos puedan seguir con atención. No quiero gastar pólvora en chimangos.

—¿Vas a poder volver a mirarme a la cara? Después del discurso tu éxito será tan grande que no vas a aguantar mi bochorno —contestó Marcos. Había picardía en su voz, pero el leve temblor de sus labios indicaba que no estaba muy convencido de lo contrario. Habría que soportar la mirada de todos aquellos. Habría que subir a ese escenario donde hacía instantes lo había hecho Roberto Remso para cantar. Sólo lo había visto al pasar, pero le impresionaron sus ojos, tan tímidos y tan beligerantes a la vez; supuso que la voz le nacía ahí, debajo de los párpados, casi siempre bajos, casi siempre resueltos a levantarse en ocasiones únicas, unos párpados en estado de continua intransigencia, pensó Marcos.

—¿Sabías que a Remso lo habían contratado para esta noche? —preguntó Simón, bruscamente molesto—. Esto va a demorarse demasiado.

—Creo que Remso no es un profesional. Se le debe de haber ocurrido cantar de golpe, como, me dijeron, hace siempre. A lo mejor es pariente de los novios, qué sé yo. Pero sí sé que va con la guitarra de pueblo en pueblo y canta, a veces frente al público, pero otras, la mayoría, por algún camino solitario para que no le estorben.

—Sabía de él, pero yo no lo había escuchado nunca —dijo Simón volviéndose hacia el escenario, donde la guitarra, con sonidos imperiosos como chasquidos, aunque no exentos de candor en aquel salón de fiestas para recién casados, defendía a toda costa su posibilidad, su peso, su alma—. Me gusta, pero es difícil escuchar con este ruido —agregó.

—Me gusta más cuando canta. La voz no se demora en rodeos inútiles. Aparece y con eso basta... Aparece y es suficiente. Escuchá... —la cara de Marcos, completamente animada, se volvía hacia Remso que, pese a los ojos bajos, parecía seguir desde el escenario el recorrido de su voz hasta verla extinguirse entre los ventiladores del techo. Debido a los murmullos, la empujaba severamente, acumulando energía que soltaba aquí y allá para que el tono no perdiera intensidad y llegara a los oídos de todos y fuese guardada con el mismo celo con que los glotones de las mesas lo hacían con las golosinas.

Era un espectáculo para quienes de ninguna manera hubiesen tomado unas copas de más. El silencio para apreciar su voz se conseguía a medias. Por eso Simón se sobresaltó cuando el propio Remso anunció que dejaba el micrófono en manos de los oradores porque su repertorio de tangos preparado para esa ocasión ya estaba terminado.

—No está conforme con la atención que le prestaron. No creo en eso del repertorio —alcanzó a decir Simón mientras se encaminaba hacia el escenario. Algunas gotitas de sudor le brillaban en la frente, y su nariz se adelantaba por el aire con pesimismo.

Marcos vio que la novia aplaudió dos veces, parecía querer ese momento y que los demás participaran de él con el mismo entusiasmo; entonces pensó que las palabras que se dijeran deberían alentar su emoción, llevarla a flor de sus nervios para que así excitados las guardaran para siempre.

Como si hubiera estado al tanto, Simón habló: elegía los mejores matices, las frases casi ingenuas y sin embargo llenas de una sabiduría vieja; así, los derechos y obligaciones eran mencionados como al pasar, quedando claro que lo individual no debía afectar nunca la sociedad minúscula de la pareja y mucho menos lo colectivo. Todos entendían perfectamente lo que decía y asentían con la cabeza. Algunos hasta habían retirado un poco las sillas de la mesa y, cruzando sus brazos sobre el abdomen, lo seguían atentamente. De todos modos varios chicos corrían lanzando al aire alguno que otro confite.

De pronto le tocó el turno a Marcos. Se vio avanzando en medio de los aplausos destinados a Simón, cada paso que daba le traía la certeza de estar haciendo algo impropio, el hecho de ocupar el sitio de su hermano en el escenario hablaba de un deseo un tanto complicado, o más claramente, de una rivalidad que no estaba dispuesto a aceptar.

Lo había previsto; la gente no se sintió entusiasmada ante su presencia, un segundo orador era una demora casi provocadora para el baile. Los músicos de la orquesta, afinando distraídamente sus instrumentos, pretendían empezar. Juan mismo se lo había dicho: "No te excedas. Mi vecina ya está taconeando debajo de la mesa". Ahora había gente arremolinada muy cerca del escenario que lo miraba de manera impaciente; hasta la novia tan predispuesta a los discursos seguía con atención las indicaciones de la modista, enrollaba la cola en el brazo para el vals, que, según la opinión de muchos, ya hubiera tenido que comenzar. El primer momento fue el mejor, cuando dejaron de mirarlo como algo inoportuno porque su voz se cernía sobre ellos, brusca e intimidante como una trompeta en la oscuridad. Pero cuando hizo alusión al trabajo en el campo y su honor inexistente

("¿Quién lo aplaude?") y mezcló los madrugones con el atildamiento precario ("¿Cómo borrar la intemperie que se apodera de la cara?") para ir a buscar a las novias los domingos, el realismo de sus frases no gustó. "No es momento para esto. Es un momento de fiesta", pensó atropelladamente, pero no sabía bien de qué manera cambiar el rumbo de su discurso. "¡Grosero!", gritó claramente una mujer y le dio un bofetón a un hombre altísimo que tenía detrás. Hubo risas y una discusión que se ahogó rápido porque el novio les pidió calma: "La que usa ropa muy ajustada, en los amontonamientos, se arriesga". Después se encaminó hacia el sitio donde estaban los músicos para decirles algo. Marcos terminó como pudo. Recién cuando se desabrochó el saco, miró las estrellas y sintió la noche igual que una mano fresca en la cara, se dio cuenta de que tenía los ojos abrasados.

—No es para tanto —Juan le tocó el hombro, se quedó un rato en silencio y después le habló de las estrellas, del puñado que les correspondía para meter en un vaso de vino.

—No puedo armar buenas frases con toda la gente mirándome.

—Dejá eso para Simón, vos tenés otra manera de vértelas con las palabras. Tenés tu "estilo" —bromeó.

En la oscuridad, la música, mucho más intensa cada vez que alguien abría la puerta del salón, sonaba con un festivo desamparo, y obligó a Marcos y a Juan a alejarse tanto que ya era imposible individualizarlos.

—¡Eh, dónde están! —la voz de Simón tenía una pesadumbre alegre—. ¿Se puede saber dónde se metieron? ¡Qué noche tan oscura! —Inmediatamente después que fue alcanzado por la luz de los ventiluces altos, se lo tragaron las sombras en las que escuchaba hablar a sus dos hermanos.

El eco de los aplausos golpeó contra las paredes y volvió, solícito, endulzando los oídos de todos; parecían olvidados hasta de la aprobación misma, concentrados en el acto de aplaudir; el empujar las manos, hacerlas estrellar y después separarlas a gran velocidad para acometer de inmediato el envío, los arrojaba al placer de los roces, de la ingenua violencia establecida en la carne, que no hacía más que obedecer a ese estímulo venido de afuera. El que más aplaudía era el Mudo, acostumbrado a gesticular, esta vez su exageración casi despertaba sospechas, pero no, está contento de verdad, le dijo Juan cuando él lo miró desaprobando, lo que pasa es que todavía conservás algo de Nino, la furia, por ejemplo; tus ojos me asustaron recién cuando miraste al Mudo pensando que se burlaba. Y Simón: Marcos tiene que poner la furia en la mano, darle una razón válida, para que se calme por fin. Lo ha hecho. Lo ha hecho muchas veces. Lástima que no todas esas veces nos llegue lo que se le ha ocurrido escribir. La furia sólo me sirve para sentir que mis dientes están a punto de triturarse, dijo él. Y Juan: Escuché ese chirrido demasiado, ja, ja. Pero hay que esperar. Es como ver desinflarse un globo, sale aire nada más. Pero hay fluidos letales también, le contestó él, ésos son los que me gustan a mí, los que se respiran sin oponer reparos, y después viene la sorpresa, la nariz que se arruga, el sofocón, o ni siquiera sucede eso, simplemente se muere, sin advertirlo, por los intestinos y el cerebro ocupados en todos los recovecos. Jua, jua, ríe Simón: la sangre en el ojo, nunca te resignaste a ese fracaso en la fiestita de casamiento, el orador se te extravió, se te atragantó y terminó conformándose con balbuceos. Ahora la sangre en la lengua, la sangre en la mano vale más, esa que supongo dejás cuando rascás el papel arrastrando el lápiz por los renglones. Y él: jua, jua, jua, el que ríe último ríe mejor, no es la letra con sangre sale, sino la letra con sangre entra. ¿Te acordás? Y después el coscorrón, el mamporro, para seguir con las erres, que son tan musicalmente desvergonzadas; el maestro tenía razón, primero está el verbo, el que está escrito en el libro primero, aquel de los dibujitos y que nos costó tanto deletrear, con nuestra boquita así, en forma de arco, para que las letras resbalen y no se lastimen. Bien, bien, dijo Juan, pero yo no he demostrado ser el tenorio que me imagino ser, algo más tendría que haber pasado con la niña de las onditas, la que de ninguna manera (¡Ah, cómo peno!) hubiera expuesto su lindo traserito a los amontonamientos. Y entonces él le dijo que ni se le ocurra, que el Juan del cual él sabe está al margen de este que le está hablando, este de carne y hueso.

Con un plumero para limpiar techos la madre da golpes a una de las hojas de la ventanita abierta. De cada detalle se acuerda. Golpea con el cabo y los golpes arrancan a la madera sonidos de violoncelo; se ha peinado las trenzas que aparecen blancas en la blancura del aire plagado de ruidos del corso que en la calle anda a los saltos arrastrado por el vaivén de la gente. Las plumas hunden su sombra en el aire vecino, el del cuarto donde lo que venía escuchando se acaba de terminar.

—Parece que la caja de zapatos se está volviendo más productiva. Tuve que esforzar mis oídos porque en el balcón hay demasiado bochinche; me enredaron las plantas con serpentinas, ¡lástima!, pero ya no se hacen fogatas para quemarlas como se hacían. ¿Se acuerdan? El humo sale ahora de la pieza de ustedes, es un humo blanco como el de Roma. ¡Viva Marcos, vicario de esta pequeña feligresía!

Mientras la madre habla Simón se acoda en la ventana para mirarla. Ve su pequeñez, la cabeza le tiembla bajo la corona de trenzas blancas demasiado pesadas para su cráneo mínimo, todo su pequeño cuerpo abismado en esas manos que no pueden estarse quietas. También a él tiene algo que decirle, las bromas aún no le son esquivas.

—¡Ah! Simón... Simón es el caballero de la palabra cantante, ya encontraremos las tierras donde vas a poder lanzarte con tu caballo.

No duró demasiado el entusiasmo. Afuera, algo, un rumor cualquiera (el Mudo podía individualizar en la maraña), hizo que abandonara las hojas que le tendía a Marcos y corriese hacia la escalera de mano. Cerca del techo, su cara aplastada en el agujero de la banderola reía, graznaba lastimosamente como un cuervo al que le han cortado las alas. Un fulgor, un ramalazo, los alertó a ellos también, que se acodaron en la ventana para mirar la otra, la del balcón, la que se abría con ampulosidad al corso en el que ahora veían pasar la carroza real. No le veían la cabeza al rey, pero sí las piernas, envueltas en un manto de lentejuelas, dispuestas a hacerle fintas al toro (los cuerpos apretados de la gente semejaban un toro) que hollaba la tierra cada vez que los zapatos de alguno se hundían en la calle por el entusiasmo de vivarlo al verlo pasar tan cerca. ¿Quién es esa mujer de la boa?, le preguntó a Marcos, Simón. ¿No es?... Sí, es, le contestó, le contestó también que no podía creerlo, habían pasado muchos años y seguía siendo hermosa. Su belleza estaba en las líneas del cuello y de la cara, que obedecían suavemente a los reclamos audaces de su boa verde, por supuesto mucho más madura, más regia también, sin que la provocación fuera igual a aquella del cuarto sucio, al lado de la tienda, lleno de prendas frente a las cuales había que tener coraje para ensayar miradas. ¡Ah! ¡Eh! o algo así gritó el Mudo. ¿La habría visto? Y Juan: Marisa Serrano va al lado de su marido gordo de doble papada que la mira con la misma confianza que esgrime en las ventas. ¿Cuántos años tiene Marisa Serrano?

También iba su hijo casi adolescente, casi sabio, tocando su violín a las mil maravillas, arrastrándolo por el corso, restándole importancia como si fuera un pedazo de lata. Ellos los veían desde la ventana, el Mudo desde la banderola, la madre desde el balcón, todos pegados a esa música que parpadeaba bajo las bombitas sin sosegarse, porque cada vez que se gastaba un poco volvía a recomenzar siempre de una manera nueva, de una manera que plegada dentro del corso se eternizaba.

Cuando se alejaron, cuando las mascaritas y los pitos y el altoparlante pudieron más que aquello, el Mudo bajó, veloz como un acróbata, para mostrarles la cara. Sonreía y tocaba a Marcos, y él sufría, sufría porque no había conseguido la misma cara con su caja de zapatos. ¿Tienen frío?, preguntó, y se frotó los brazos. Cuando tomó los papeles no hizo falta que dijera nada, cada uno ocupó su sitio y esperó que la voz avanzara en oleadas, saltando desde el hueco de la boca como si tal cosa, sin temor al abismo que nacería ahí nomás, a flor de labios.

—¡Atención, atención!, porque el micrófono no funciona, se darán cuenta, tengo que estar a los gritos, pero es necesario, nuestro candidato comunal está aquí y no podemos desperdiciarlo. La noche es muy fea. Es maravilloso que estén aquí de todas maneras...

—¡Apurate, flaco! No traje paraguas y no quiero mojarme. —Detrás de las primeras cabezas no conseguía verse nada. La luz era mala, solamente sobre la plataforma habían colocado una lamparita de muchos vatios y fuera de ese perímetro la luz se interrumpía bruscamente.

—¿Quién habló ahí? —preguntó el que había anunciado al candidato, dirigiéndose a lo oscuro, protegiéndose los ojos con la mano para que la lamparita poderosa no lo cegara.

—¿Tiene alguna importancia? Si no se apuran vamos a terminar mojándonos como patos —esta otra voz, tan anónima como la anterior, tenía sin embargo un tinte jocoso y hubo algunos simpatizantes que la apoyaron con risas. De vez en cuando un golpe de polvo obligaba a todos a cerrar los ojos porque el viento se trasladaba con frialdad, azuzando los árboles.

—¡Simón, Simón!

Los gritos aquellos hubieran dilatado el corazón de cualquiera que se escuchase llamar así, pero Simón estaba absorto, la cabeza abandonada entre las manos, sin tener en cuenta para nada la amabilidad de que era objeto; estaba usando la salita de la casa ubicada justo detrás de la tarima.

—¿Se siente usted bien? —le preguntó una nena con la cabeza llena de rulos, enredando en su dedo índice el vestido de su muñeca; mantenía los ojos bajos pero no estaba desatenta.

—Sí... —dijo Simón, con un acierto magnífico, porque aunque mirara sonriente a la nena, no había en absoluto advertido su presencia. Como siempre en esas ocasiones, se veía dominado por cierta incredulidad.

—¿Por qué no vamos ya? —preguntó Juan, encajado dentro de una silla, perdiendo siempre la cuenta del número de volantes que tenía que contar. No podía pedirle ayuda a Marcos, casi marchito junto a la ventana por la que miraba afuera.

—¿Quieren un poco de café?

Parecía dibujada, quieta, demasiado ficticia, pero la mujer no sabía cómo moverse ante ese hecho tan inusual que se producía dentro de su casa.

—Yo traigo la azucarera —dijo la nena mirando a su madre, y esta vez su mirada abierta, hasta enérgica, hizo que la mujer reaccionara de golpe y trastabillara un poco cuando se puso a caminar.

—¿Por qué no llega la banda? He visto la banda en otros mítines, parece que es una atención del presidente de la comuna, quiere alegrar, según dicen, todos los actos políticos; por supuesto, esta medida simpática la va a usar en su beneficio.

Marcos abandonó la ventana y se acercó a Simón, que ya estaba de pie acomodándose la corbata: —¿Vas a salir antes de que llegue?

—No creo que llegue, algunos mítines se los salta, éste es un barrio muy apartado, y para colmo no vive demasiada gente.

—Bueno, hoy también vino gente de otros barrios. ¿Escuchás cómo gritan? Están molestándose. ¿Por qué habrá esta tormenta?

Seguía con la corbata a medio ajustar, buscando con la mirada un espejo, cuando entró la mujer seguida de su hija que traía una azucarera de loza con flores en relieve, verde agua; en un momento la nena se llevó un dedo a los labios para humedecerlo y luego frotó una manchita seca, de azúcar, que ensuciaba la tapa. Se paró lejos de Simón, pero muy pendiente de que su madre le acercara la bandeja con tazas.

—Hace falta azúcar aquí —dijo la mujer alcanzándole una tacita de café a Marcos.

—Es que no me tiene en cuenta —rió—. Yo no soy el orador, el gran personaje. Si me permiten, me paro sobre una silla aquí y digo unas cuantas palabras. No es difícil después de todo. Probé en mi casa y no me ha ido tan mal, y eso que la mujer de las trenzas blancas, una que ustedes dos no conocen, es muy exigente. —Mientras se reía Marcos probó el café:— Lo voy a tomar sin azúcar.

—Sí que conozco a la mujer de las trenzas blancas, como usted le dice. ¿No es la que vive en esa casa tan vieja, en una de las cuadras del centro? Se encarga de repartir muebles viejos, yo la he visto muchas veces... —Y mirando a Marcos con más familiaridad:— Usted es el que la acompaña siempre.

—¿Hay algo aquí que hayamos traído nosotros?

—Gracias a Dios, a nosotros no nos falta nada. Nosotros compramos en la mueblería. Mi marido siempre está pagando alguna cuota. No me gustan las cosas que han usado los otros.

—Pero a veces resultan muy útiles... y hay algunos muebles que son muy hermosos.

A pesar de la conversación lo mismo la escucharon, se oía muy lejana, abriendo la tormenta con oleadas de música que se perdían en la noche, pero que volvían a aparecer impulsadas por la necesidad de ser un anticipo, un preludio de lo que sería en la tarima bajo el estímulo de las luces.

—¡La banda! —dijo la nena, y tomó su muñeca y corrió a la ventana; sus rulos oscuros desaparecieron por detrás de la cortina demasiado almidonada.

—Habría que salir a recibirla —dijo Juan; ya había abandonado los volantes sobre la mesa y se restregaba las manos. Según él era absurdo repartirlos porque estaba demasiado oscuro y la gente lo único que haría con ellos sería arrugarlos y tirarlos en la primera ocasión.

—¡La banda! —dijo el locutor abriendo la puerta de golpe, el pelo desordenado, los bigotitos temblando de excitación, pero con un fondo de temor porque pensaba en la lluvia.

Salieron los tres juntos, Simón un poco adelante, como correspondía, Marcos y Juan flanqueándolo, unidos por la inquietud de que todo saliera bien, con el nudo de la corbata demasiado ajustado y el pelo pegado al cráneo porque lo habían peinado recién.

—¿Tendrá miedo? —murmuró Juan en el oído de Marcos—. Ni por todo el oro del mundo me pondría a hablar ahí.

—Creo que yo me subiría por mucho menos —contestó Marcos y le guiñó un ojo. Miraba cómo el locutor se trepaba a la tarima con la alegría de quien siente que todo empieza a encauzarse bien y cómo doblaba un poco el micrófono para ponerlo a la altura de su boca y empezar a hablar.

—Vino para eso —dijo contestando a un estribillo que cantaba la gente—, para hablarles de lo que hace tanto tiempo ustedes están reclamando.

Los grupos se habían raleado un poco porque con regularidad algún relámpago cruzaba el cielo; cuando lo hacía las guirnaldas de papel de colores se empequeñecían apretándose contra el cartón en el que estaban escritas las consignas políticas y las loas al candidato.

—... por lo tanto vamos primero a escuchar a la banda y luego... —alcanzó a decir el locutor, pero se dio cuenta de que no le convenía hacer ningún esfuerzo para anunciar porque todos estaban impresionados con los músicos, muy bien vestidos, con sus gorras flamantes puestas aunque era de noche, que subían de uno a uno a la tarima, haciendo relucir furiosamente el instrumento cada vez que pasaban debajo de la bombita más importante.

—Que se apuren. Que se apuren —gritaban todos.

A lo largo de la cuadra se extendían los gritos, dentro de los pequeños jardines, muy magros, con los canteros con flores de variedades en absoluto deliberadas; algunas mujeres que no se animaban a franquear la puerta de la casa se reunían en grupos y curioseaban, encantadas de esa pequeña traición, de ese corte de manga al orden establecido.

—Le apuesto a que no tocan —le dijo a una vecina la mujer de la casa en la que había estado Simón, sin soltar en ningún momento la mano de la nena.

—Falta para que llueva —contestó la otra mirando el cielo, pero sus ojos admitían que no estaba nada recomendable. Al borde del estrado, entre los acólitos y los curiosos corría una fuerte aprensión porque la banda se demoraba y el cielo se ceñía amenazante alrededor de ellos. El director parecía no encontrar el tono, se había corrido la gorra hacia atrás y se rascaba la cabeza evidenciando que estaba desorientado.

—¡Lo hace a propósito! —gritó Juan—. ¡Quiere que nos pesque la tormenta aquí! Y que Simón no tenga tiempo ni siquiera para decir una palabra.

Mmjunn... Mmjunn... La gravedad del violoncelo interrumpe la voz, agota el resto de los sonidos, se apodera sin esfuerzo del cuartito de arriba, pero no es una irrupción odiosa, aunque desconcierte. Pronto llega a la cabeza de todos y se queda ahí retumbando, alimentando una desazón que se instala de golpe y que los incomoda porque hacía instantes era la voz de Marcos lo único que se tenía en cuenta.

—No lo pude evitar —dice ella—. Se me ocurrió que debía tocar el violoncelo. Esa banda, jua, jua —ríe y se le notan los dientes, tan sanos todavía—, se demoraba demasiado, algo debía escucharse. ¡Qué mejor que la música del violoncelo! Había empezado a respirar mal, me falta el aire cuando algo no se resuelve. Tampoco las tormentas me gustan nada, digo, aquellas que son de papel, en las que la lluvia está fuera de mi alcance.

Levanta el brazo delicadamente para tomar el arco; la madera vibra cuando toca las cuerdas, cuando bajo la presión del arco las cuerdas se despliegan y se apuran, y en pocos minutos la música parece un acontecimiento extremo.

Luego vino lo del Mudo. Bajó atropelladamente la escalerita que une el cuartito con la pieza de ella, la cruzó a grandes pasos sin importarle que ella estuviera atareada con el violoncelo. En el balcón era otro, olía distinto, como una hogaza de pan negro; inclinándose sobre el barandal buscaba entre las carrozas, las murgas, el desorden de la gente.

Se confundió con el violín del hijo de la Serrano, Marcos. ¿No ves que está como loco? Cree que la mujer de la tienda sigue tan hermosa como hace veinte años, dijo Juan. Y él: Su oído no es tan grosero. Se venga porque no peleamos lo suficiente, porque perdió la corona, porque se le aflojan los dientes y el pelo ya le ralea; lo de Marisa Serrano es otra razón, no discuto que poderosa, una mujer con una boa verde, que tuvo una vez una enagua que le mostraba los pechos, sonoros como un violín o como un violoncelo, puede empujar a alguien a recorrer el mundo y a afrontar cualquier riesgo. Y Simón, que no se había movido, que seguía con los ojos fijos en los papeles de Marcos, inclinando un poco la cabeza, mordiéndose la lengua: ¿Se puede saber qué hiciste con mi discurso? Las grandes noches no son para que se les arroje basura. Los estrados no se hicieron para vos y eso te duele, Marcos. ¿A quién le importan tus garabatos, lo que contiene tu vejiga? Porque no sería eso de la estupidez de la sangre, sería en todo caso la estupidez de tu orina, es tanto su mal olor que tengo que taparme la nariz con las dos maos. Se paseaba por el cuartito, exagerando, hubo un momento de agobio, Marcos pensaba que se lo acusaba demasiado, y sin embargo seguía ahí, tendiendo la mano como si esperara propina. Tal vez sería conveniente irse, dejar a Juan y a Simón acompañados solamente por los rumores del corso, irse e ir rompiendo por la escalera todo aquello, al fin y al cabo todavía conservaba algo de Nino, la furia por ejemplo, la furia no era nada más que una corriente amiga, había que abrir la compuerta, esperarla y dejarse arrastrar sin hacer maniobras que la frenaran o la arrojaran al olvido. Fue una noche de mierda, dijo Simón. Estaba parado bajo la luz que lo tiznaba, lo ennegrecía porque era muy macilenta. Y Juan: Cómo les gustan a mis hermanos las exageraciones, lo que brilla grande. ¡Ah, sí, grande! O las derrotas estrepitosas. Nada de eso sucede, mis queridos hermanos, nadie llama demasiado la atención de nadie, no se revienten la cabeza. Y Simón: Después de todo son tres hermosas cabezas. Y parecía verdad ahora que estaban juntos y se miraban en el espejo, claro que había que mirarse a la distancia, con cierta cautela, porque las aproximaciones exageradas podrían traerles ya alguna sorpresa. Aunque sea para darnos ánimo, dijo Simón, aceptemos tener tres hermosas cabezas. Y se rió, se rió con deseo de contagiarlos, de arrastrarlos a esa alegría que alguna vez tuvieron. Convenía así: echar al espejo sólo algún vistazo y concentrarse en la proximidad, en el celo que pondría cada uno para cuidar del otro, en alejar lo más posible cualquier amenaza. Después que todos rieron, que agrandaron la risa momento a momento hasta que apagaron la música del violoncelo, Simón, que todavía conserva algo de Nono, se dirigió a la ventanita extraña para decirle a la madre, con esas palabras tan bien dichas, lo que quería decirle.

—No hace falta, Simón, que hables demasiado. Te entiendo. Pero a veces desconocemos las razones y obramos simplemente. ¿Quién puede jactarse de que tiene una razón para todo? Madurarás con las brevas. Es una frase. ¿Por qué no con las mandarinas, con las naranjas, con las manzanas? ¡O con los espárragos! En fin, no hace falta que cite la verdulería entera para demostrarte que también toda elección es arbitraria. ¡He tocado el violoncelo! Lo toqué en un momento inoportuno, lo acepto. Pero tuve deseos, quería acompañar a Marcos de alguna manera, o interrumpirlo, qué sé yo. ¿Conocés el fondo de tus deseos?

La madre se levanta de su butaca, busca el estuche del violoncelo, raído, bastante sucio de polvo, y lo guarda sin acumular rencor, ni fracaso, ni miradas autocompasivas, ni nada, sólo lo guarda y contempla la caja, recorre sus bordes. Calla. Piensa que es muy difícil inmiscuirse en los otros, que es muy difícil cambiar nada.

El Mudo golpeaba el barandal del balcón. ¡Que vengan! ¡Que vengan!, parecía decir con esos ademanes que lo hicieron tan popular en un tiempo; por supuesto los golpes se perdían entre los cantos de las mascaritas y los pitos de los chicos. Golpeó, insistió, miró la hora un par de veces, como si temiera que todo acabase de un momento a otro. Pero eso era imposible, la hilera de carrozas era muy sólida, se deslizaba bajo un techo de lamparitas y serpentinas, por supuesto no era como otros años, había espacios en los que se veía el cielo, la luna del verano, las estrellas con esa incertidumbre creada por estas otras de vidrio que brillaban aquí, tan cerca de la mujer de la boa, esa que ahora perseguía el Mudo creyéndose con derecho. El doctor Castello salió a la vereda pero su hija quedó adentro, se la veía detrás de los vidrios, una figurita acurrucada, deseosa, poco hubiera bastado para poner color en sus mejillas. En el borde de la vereda Castello no se volvía. ¿Cómo hubiera soportado aquello? Ese "¿Entendés lo que quiero?" de la nena. Pero al poco rato, a lo mejor mortificado por una carroza llena de ramas donde unos hombres disfrazados de monos hacían piruetas (había que ver al más corpulento subido a una escalerita, con su lomo de lana escardada, teñida, saludar a la concurrencia), al poco rato, abandonó la vereda y entró en su casa dando un portazo. No se sabía por qué pero la carroza de los monos se empecinó, quiso ofrecer un espectáculo aparte, se desvió de la fila y se detuvo justo frente a la ventana del doctor Castello. Los monos se enlazaron riéndose, por la risa se sujetaron fuerte para no caerse, después se apartaron, con los brazos tendidos, de golpe amenazantes, como a punto de una riña. Otro mono tocó un tambor. Empezó el asalto. Los monos seguían el ritmo del tambor, que al parecer les decía lo que debían hacer; cuando los golpes se espaciaban bajaban los brazos y se balanceaban siguiendo un círculo; la única actitud alerta era la de su cabeza, un poco echada hacia adelante, un poco torpe, como si su sentido de la orientación estuviera alterado. Pero en un momento el tambor se aceleró demasiado y entonces, al principio, por inexperiencia, no supieron muy bien simular buenos puñetazos, pero después los golpes parecían verdaderos, llegó un momento en que llovían sobre uno y otro, hasta que el mono más grande, casi se creía que con saña, tomó por el cuello al otro, que era un poco más chico, y lo zarandeó como para arrojarlo lejos de la carroza. Algunos mirones aplaudían, otros golpeaban el piso con los pies. El Mudo había perdido a la mujer de la boa por seguirlos, incrédulo, los ojos horrorizados detrás de aquellos golpes velados por el papel celofán puesto entre las ramas de la carroza para fingir la selva.

También Juan y Simón miraban aquello, lo mismo que Marcos, un poco más lejos, todos adentro del balcón pero sin rozar al Mudo pegado al barandal, el cuerpo inclinado peligrosamente ahora que el médico estaba abriendo la ventana para gritar algo. ¡Te vas a caer!, gritaron Juan y Simón. ¡Te vas a caer!, gritó Marcos como si fuera el eco, a veces reacciona un poco más tarde, no es que renuncie a nada, simplemente hay ciertos espacios —de otros— que le parecen eso: espacios de otros. Como estos del doctor Castello y el Mudo, que terminó por descolgarse del balcón, correr hacia la carroza (una corrida que no era tal por el entorpecimiento de la gente) y llegar justo para ver a los monos apoyarse en la escalera y descansar un rato. Pero el doctor Castello estaba fuera de sí, ahora todos lo miraban a él, con medio cuerpo fuera de la ventana, los puños en alto y ese fuego en las mejillas que cruzaba la calle como un hálito rojo. Aun después que la carroza volvió a la fila y reinició su vuelta por el corso, el doctor Castello seguía gritando, pese a que su voz se perdiera entre la música de un acordeón y el cuerpo se lo tapara una murga que pasaba frente a su ventana.

—Creo que esta vez no lo van a lamentar. Casi diría que es necesario escuchar el violoncelo. —La madre se detiene en el hueco de la ventana que da al balcón. No quiere enterarse de nada, en este momento. No quiere las peleas, las explosiones de la calle. No quiere al Mudo dejándose engañar por situaciones en absoluto comprobables.

—Falta el Mudo —dice con pesadumbre. El arco que no aparece en la mano, la fatiga debajo de sus ojos extendida como una mancha. Si hubiese sido obligado no habría llegado así de rápido. No se puede creer cómo está ahí, en el cuarto. El Mudo busca el calor del espejo que le devuelve la sonrisa, y ve esa otra sonrisa maravillada, la de ella que se adelanta para rozarle la cara.

—¿Podremos empezar? —pregunta. La voz es sumamente silenciosa, no quiere que se quiebre eso que sopla en el corazón de todos, que se retiene gracias a respirar apenas y a que a nadie se le ocurre buscarle razones.

No es una casualidad, el violoncelo no aparece, lo que aparece es el estuche, mucho más limpio, con la humedad propia de las cosas que fueron fregadas con un trapo mojado, brillando con timidez en la puerta de esas decisiones que ella toma de golpe sin consultar a nadie.

—No vamos a estar listos si no se sientan.

Pero no espera más, abre el estuche. —Perdón por cambiártelas de sitio —le dice a Marcos mientras le alcanza las hojas, que huelen a encierro, a cosa mojada.

—Es el sudor —dijo Marcos—. No está llorando de rabia —lo dijo para tranquilizarlo. Simón no veía bien la cara de Juan, pero lo habían atormentado sus gritos. Marcos sí, a pesar de la oscuridad.

No resultaron muy desafiantes los gritos de Juan porque se confundieron con los de otros espectadores que insistían en que la banda comenzase.

—¡Ya! ¡Ya! —se oía gritar.

Y la banda arrancó. Tocaba una marcha convencional que todos habían escuchado infinidad de veces pero que lo mismo seguían con placer bajo la noche tormentosa. Un músico flaco, de aspecto enfermizo (no sólo de aspecto, todos sabían que estaba enfermo), que tocaba la trompeta, daba cada dos por tres unos pasos hacia adelante, y luego de apartar la boquilla de la boca, sonreía exageradamente como para demostrar de qué manera podía aquello aliviar la presión de su enfermedad.

—¿Por qué papá no toca en la banda? —preguntó la nena.

—¿Te imaginás a tu marido tocando en la banda? —La vecina se rió; esa posibilidad parecía divertirla mucho. Sus ojitos eran muy chicos y el flequillo estaba a punto de devorárselos.

—¿Por qué no? Cuando era chico creo que tocaba algo —contestó, molesta por la risa de la otra, la madre de la nena. Se apartó un poco y buscó a Simón en la oscuridad, que estaba parado detrás de la tarima.

—¿Cuándo va a hablar usted?

—Cuando esta matraca deje de funcionar. —Juan fue el que contestó, sentado sobre el guardabarros de un auto, sosteniéndose la barbilla tensa con una mano; todo su cuerpo en una actitud de objeción a la banda, cuya procedencia mezquina no dejaba de martirizarlo.

—¿Usted va a tocar algo? —la nena se acarició el borde del vestido y después se llevó el dedo a la boca. No podía mirar a Simón directamente.

Juan tiró de su pelo:

—Si me acompañás, me animo, subo y toco la trompeta.

—Quiere que toque Simón. ¿No te das cuenta? —dijo Marcos, pero ya la banda terminaba y el locutor volvía a sacar el papel de su bolsillo para mirar el orden del acto. Después buscó con la vista a

Simón para cerciorarse de que estaba cerca.

—¡Otra! ¡Otra!

No era fácil para el locutor imponer lo que tenía previsto. Como había esperado demasiado, la concurrencia se creía con derecho a manejar el acto, a manifestar abiertamente sus deseos: "¡Otra! ¡Otra!", a sabiendas de no coincidir con el programa.

En realidad sorprendía, hacía un momento clamaba por Simón, y ahora era la banda lo que se empeñaba en escuchar. Un relámpago y un remolino de tierra azotaron las guirnaldas de la tarima. En el brevísimo momento en que duró la luz se lo vio a Simón, solitario, casi místico, con las manos apoyadas en la parte posterior de la tarima, buscando desesperadamente la manera de declararle la guerra a esa indiferencia que había surgido de golpe hacia su persona.

—Yo lo arreglo —dijo Juan. Sus palabras tenían un calor contenido. Bordeó la tarima donde todavía se alojaban los músicos porque no sabían qué hacer, si seguir la orden del público o prestar atención al locutor, para acercarse a la primera fila de cabezas. Le faltaba una marcha de ritmo cortante que lo acompañara: era una caminata que se devoraba todos los vientos; su paso consiguió un efecto decisivo porque aunque sólo lo alcanzara un resto de luz, todas las miradas se posaron en él:

—¿A qué creen que hemos venido? —gritó—. ¿A escuchar una banda? Supongo que estarán interesados en algo más. ¡Que se termine esta fanfarria musical! Aquí hay un orador.

Los compañeros que Juan conocía por nombre y apellido reaccionaron de golpe:

—¡Simón! ¡Simón!

Se las arreglaron tan bien, tan rápido convencieron a los demás de que se habían reunido ahí para escuchar algo diferente (a lo mejor fueron las voces, fuertes y resueltas, deslizándose por todos lados), que el grito reclamando al orador de la noche al poco rato fue unánime.

—Llegó el momento, Simón. Volvemos a tener un clima excelente. Preparate un saludito especial para recibir las ovaciones —Marcos palmeó a Simón, le deseó suerte varias veces, le acomodó el reloj que se le había deslizado por debajo de la muñeca. Pero era inútil porque Simón, como lo venía haciendo en todos los mítines, aparecía con una personalidad nueva, una personalidad que se había ido intensificando cada vez: era ese asunto de demudarse, de ponerse blanco como un papel, de bajar los párpados y no mover un músculo de la cara, como si estuviese sumido en una meditación tiránica, su gravedad era tan desmesurada que hubiese sido un ultraje arrancarlo de aquello.

—Ya vuelvo —le susurró a Marcos, tendiéndole una mano transpirada. Caminó tocado por la deferencia, incluido por los otros en esa galería de personas de las que se suponía debía mantenerse a tres pasos de distancia. Bajo la fuerte luz de la lamparita de la tarima, la cabeza de Simón tenía una solemnidad cuidadosa: ni movimientos demasiado marcados, ni una rigidez que hiciera sospechar que estaba atemorizado. La voz le dejó un sabor rudo cuando se lanzó contra el micrófono para llegar hasta el público. Por un rato la emoción lo dominó. Pero después las palabras le llegaban fáciles, como si las hubiera estado aceitando momentos antes.

—¿Cuándo va a tocar la trompeta? —aunque

tironeó del vestido de su madre, no consiguió que ella se diera vuelta.

—Shhh... No la molestes en este momento —le dijo la vecina a la nena, acomodándose el cuello de su blusa, suspirando, mirando para todos lados pero sin saber a quién exactamente.

—¿Cómo "en este momento"? No quiero que ella hable, nada más. Es mala educación no atender a una persona que está diciendo un discurso.

—¿Y entendés? Yo de política no entiendo nada.

—Claro que sí. Es muy sencillo todo lo que dice —y volvió la cabeza al orador con aire satisfecho; supuso que había dado una buena explicación, de esas que obligan al otro a pensar que ciertas complicaciones dejan de serlo si se pone a funcionar la cabeza.

—Estás rara. Se nota que estas cosas suceden muy poco por aquí.

Al principio su voz se había movido irguiéndose despacio, como quien levanta en los brazos algo muy delicado. Y eso gustó a la concurrencia. Esa voz que no se imponía violentamente la fue ganando despacio, y desarmó la prevención exhibida casi como una propiedad natural, de tal forma que al poco rato ya estuvo a merced de ella, sometida a sus cambios súbitos, pero tan leves, tan apenas insinuados que, en el momento en que le dio de pleno, cayendo con la fuerza del águila sobre su presa, ya nadie pudo oponer reparos. Escuchado desde lejos, Simón hubiera pasado por un pastor que sufría un rapto de sublevación divina.

Hablaba de cosas que les eran comunes, de aquello tan antiguo como los vejámenes que habían sufrido por intentar conseguir lo que no estaba fuera del mapamundi precisamente, de los que nunca les habían quitado apoyo y de los vulnerables, de los que se apartaban porque la traición, cuando era productiva, los tentaba más. A los grandes propósitos mezclaba otros como el de querer plantar naranjos en todos los baldíos o el de disponer de un arquitecto comunal para que los frentes de las casas no fueran tan poco imaginativos.

—¡Apurate que llueve! —gritó alguien mientras un trueno sonó con la contundencia de una afirmación severa.

—Vamos a casa, mamá. Tengo miedo —dijo la nena tapándose los oídos.

—Voy a buscar un paraguas. Tengo miedo de que nos haga falta —por fin la vecina tenía algo que hacer y podía librarse de simular interés por el discurso—. Total, todos hablan parecido, pero a mí nadie viene a taparme las goteras del techo.

—Creo que tiene que terminar aquí. No solamente por la tormenta, sino porque ya dijo todo lo que tenía que decir y lo ha hecho muy bien. Pero... Simón suele enamorarse de sus discursos —Marcos habló casi al oído de Juan, muy rápidamente, tratando de no perderse el pulso de esas palabras que seguían cayendo sobre la concurrencia.

—... E invito al director de la banda, que es colaborador directo del candidato de la oposición, a examinar algunas cosas conmigo, para que todos nos acostemos a dormir tranquilos, porque únicamente si ventilamos lo que nos pesa, como lo hacen las familias que se quieren de una manera verdadera, conseguiremos hacer descansar nuestras cabezas sobre la almohada. ¿Lo comparten o no? En realidad ninguna discordia entre nosotros puede ser seria si los hijos de todos juegan y estudian juntos en la misma escuela.

Había quienes estaban de acuerdo y quienes no con este contrapunto propuesto por Simón. Varios decían que el director de la banda (que era el jefe del correo) no se desenvolvía muy bien con las palabras, que era casi proceder de mala fe, pese a las frases bonitas, porque el que hacía falta ahí era el verdadero candidato. Otros lo apoyaban calurosamente, exigiendo que no hubiera demora: "Nunca se hizo una cosa así, no perdamos la oportunidad", insistían. La censura cobraba importancia pese a que muchos reconocían que no se trataba de hablar mejor o peor sino de aclarar lo que quizás el principal colaborador, por ciertas circunstancias, dominaba más que aquél.

—¿Pero no ve la tormenta? ¿Qué hace? —Juan estaba nervioso. De perfil, la nariz le temblaba.

—En el fondo me divierte. Hay cierta espectacularidad en Simón que aparece cuando uno menos lo sospecha. Yo no tenía ni la menor idea de que se iba a despachar con esto. ¿Sabías algo?

—Claro que no. Será una ocurrencia repentina —dijo Juan, siempre de perfil, mirando a su hermano hablar sobre la tarima—. Yo diría que el espectacular sos vos. Tus rabias son espectaculares. ¿O no? ¿Cómo se te ocurre salir con una cosa así en este momento? Simón es inteligente, nada más.

El director de la banda había subido al estrado y se pasaba un pañuelo por la cara. Simón sonreía y le tendía la mano; el recién llegado guardó rápidamente el pañuelo; los dos bajo la luz, muy cerca uno de otro, parecían querer mantener una relación de tácito respeto, casi afectuosa. Sin embargo algunos silbidos aislados partían de la concurrencia.

Nadie lo había visto subir, pero agachándose

como si su par de piernas cortas le sobraran, el músico de la tuba, fornido y de pelo hirsuto, la sopló con tal fuerza que la música mascculló algo demasiado provocador: la mecha estaba encendida. Hubo insultos por todas partes. Si bien se pidió calma, a la voz de Simón se le sumó la del director de la banda (ambos abrazados juntaban sus caras para acercarlas al micrófono), el ámbito del estrado tampoco se tranquilizaba. Otros músicos subían, lo mismo que gente de la concurrencia, aunque el locutor los empujaba con todas sus fuerzas tratando de que descendieran. Igual que si los hubieran invitado a imitar, los que estaban en la oscuridad empezaron también a empujarse y luego a golpearse, a tirarse al piso para tomar por asalto los tobillos de otros y a lanzar las pancartas hacia cualquier dirección y lo más lejos posible. Una de ellas dio en la lamparita más importante, dejando el estrado casi a oscuras. Alentado, el hombre de la tuba se apoderó del centro de la tarima y soplaba y soplaba: la cara, inflándose, respondía con tal solvencia que parecía largamente entrenado. Un tambor y varios trombones sonaron también, pero no sólo en el estrado, sino que como en la pelea la banda se había dispersado, ahora sonaban en cualquier sitio y era como hacer fuego aquí y allá para alimentar un incendio. En la semioscuridad la masa de cuerpos amontonados sacaba brazos, piernas y torsos para volver a ser devorados y vueltos a arrojar en un continuo iluminado por los fogonazos de los relámpagos. De esquina a esquina, de jardín en jardín, los gritos se sacaban chispas mezclándose a la música de los instrumentos, que aunque cada vez eran menos porque casi todos los músicos se habían puesto a pelear, sonaban muy exaltados.

De pronto ráfagas de viento sacudieron los cartones de las consignas políticas y las guirnaldas, los truenos y los relámpagos se fueron espaciando pero el viento aumentó su velocidad y pareció querer desplomarse entero sobre el estrado. Al poco rato los cartones habían desaparecido y quedó al descubierto lo que en realidad era la tarima: una chata a la que le faltaban los caballos de tiro para hacer repartos en una chacra. Sin embargo nadie parecía darse cuenta de eso y menos Simón, que seguía con el micrófono en la mano, por supuesto no hablaba, lo dejaba caer a un costado como si no hubiera tenido nada. El director de la banda, los músicos y las demás personas lo habían abandonado, salvo el locutor que, apoyado en el pescante donde habían estado las consignas y las guirnaldas, lloraba de nervios. Papeles, cartones rotos, maderas, vidrios, se enredaban en cualquier sitio. Alguien los arrastró a los dos por la calle, en la que ya casi no quedaba nadie. Caminaban tropezando, metiendo los zapatos en los baches, sintiendo el cambio del viento que había empujado la tormenta y ahora era frío y les enfriaba la cara. Unos gritos aislados, debajo de un árbol arqueado sobre la calle, demostraron que todo no estaba terminado.

—¿Quiénes están ahí? —preguntó el hombre que los arrastraba. Recién cuando lo escucharon hablar, Simón y el locutor repararon en que se trataba de un policía. ¿Pretendería darles seguridad o era un alarde, una bravuconada que los empujaría hasta el calabozo?

—¡Simón! —gritó Marcos.

Los tres hermanos se abrazaron en la calle. Desastrados, sucios de polvo, Marcos y Juan palmeaban a Simón, intacto. Lo malo era que el locutor, pegado al agente, miraba a éste y a aquéllos con azoramiento y benevolencia alternadamente sin que se le ocurriera ninguna idea persuasiva para quitarse al agente de encima.

—¿Es una buena ocasión para brindar? Creo que sí. No soporto que se me diga todo de golpe, que las palabras se conviertan en soplonas y con ese aire de buenos oficios (bajan los párpados, deslizan los ojos muy reservados hacia una de las comisuras) pretendan confiarme el secreto. Es una tontería pero no soporto, no; no quiero la revelación repentina, los pormenores todos juntos puestos ahí para que yo los tome. Quiero ponerme de espaldas y volver la cabeza de vez en cuando y atraparlos de a uno, cuando aparecen huérfanos, recién nacidos, y poder ponerles la cuchara en la boca, verlos crecer bajo mi mirada horriblemente curiosa, bajo mi protección falsa. Soy peor que las palabras delatoras, estoy aquí esperando, escuchando el palpitar de mi avidez sin saber muy bien a qué atribuirla. ¡Brindemos por el placer del acecho! La madre llena las copas que tintinean, está feliz. "¡De ninguna manera!", responde cuando alguien le pregunta si hay agua turbia allá en el fondo. Todos la rodean a los pies de la cama, levantan las copas, brindan, se besan. El olor del vino les marea el estómago pero la cabeza está bien, lista para atender a las hojas que ella vuelve a sacar cuidadosamente del estuche del violoncelo.

—¡No se vayan así!

Era la mujer de la casa que habían utilizado antes del mitin, estaba en la vereda. Medio tapada por los árboles, llamaba la atención su audacia tan desligada del recato que había en sus gestos cuando ellos transpusieron su puerta, apenas llegados al mitin.

—Vengan aquí. Acérquense. ¡Por favor! —se había separado unos cuantos metros de su casa, su sombra se perdía en el jardín contiguo, sobre el cantero lindante con el muro. El primer cuarto iluminado de su vecina se apagó de golpe, hubo un silencio y en esa pausa se alcanzó a escuchar el cric, cric de una persiana que se entreabría—. Hace rato que los espero. Y eso que está fresco para estar en la vereda —dijo mucho más fuerte, con una paciencia perseverante, los brazos acomodados por esa cualidad que parecía haber adquirido recién (porque no era la flema de los conformes lo que se había visto en sus gestos rígidos del principio)—. Por favor, ¿van a venir o no? —agregó dirigiendo su cabeza más hacia la ventana de su vecina que a la oscuridad de la calle donde se veía avanzar a Simón con sus hermanos, seguidos del policía.

—¡Mamá!

La nena había salido con su muñeca en los brazos, estaba descalza y su camisoncito floreado no alcanzaba a cubrirle las rodillas.

—¡Dios santo! Te vas para adentro.

Por supuesto la nena no se movió, pero la mujer tampoco; aguardaba a los hombres en el mismo sitio; para un asunto privado eran espantosas la vereda y su vecina, quieta, sola, como un insecto detrás de la ventana, y sin ningún remordimiento.

—¿Podríamos lavarnos? —preguntó Juan cuando estuvo a su lado—. Mire en qué estado nos encontramos —tendió los brazos para mostrar la suciedad, el aspecto lamentable de la ropa.

—Me alegro de que esté también el policía —dijo sin prestar atención a Juan—. Acérquense todos a mirar mi casa. Van a ver lo que me han hecho. El vidrio de la puerta está destrozado.

Caminaba con pasos cortos, en apariencia enconados; al demorar el trayecto con ese breve movimiento de piernas se veía forzada a exhibir más su enojo en vez de disimularlo.

—Está bien. No tiene necesidad de gritar así. Le vamos a mandar un vidriero —contestó brevemente Simón.

—Grito porque tengo razón, nada menos que el vidrio de la puerta. Mi marido vuelve con el camión mañana por la noche, no quiero que se encuentre con esto. ¿Por qué creen que insistí tanto en que vinieran? —también gritaba al reclamar. Gritaba y recorría con la mirada la ventana de su vecina. Ni un movimiento, ni un ruido, desarmaban ese silencio que ella suponía cargado de insinuaciones—. Sé que si lo hubiera visto la gente de por aquí me habrían dado una mano, pero con el lío nadie vio nada. ¡Qué disgusto!

—Ya le dije, mañana se lo reponemos. —Simón, evidentemente cansado, quería solucionar el asunto cuanto antes e irse, arrojarse a través de la calle con baches hacia la calle céntrica, donde lo aguardaba su casa, la más vieja y desolada de todas.

Caminó unos pasos.

La mujer dejó de estar alerta y de mirar a un lado y a otro para fijar los ojos en Simón, había algo que vacilaba donde se suponía estaba el enojo. De golpe, en vez de aceptar la reparación y acabar con aquello, empezó a sonreír, suavemente, como si la colocación del vidrio fuera un alarde de cortesía, un regalo que le hacía el orador, "ese hombre que había hablado tan bien, sin temor a la concurrencia".

Con un susurro de voz, poniéndose de espaldas a la ventana, le dijo:

—Gracias, entonces mañana, temprano. —Lamentó además que ya fuera tarde y no pudiera ofrecerles otro café.— Pero mañana, sí, venga a controlar al vidriero, lo espero temprano, con el café listo. —Simón era el blanco de su mirada.

—Otro día, en cualquier momento. Mañana se lo mando —dijo Simón, que ya se perdía bajo los árboles rodeado por los demás, con las sombras erizadas de sus cabezas que lo seguían. Lo seguían también cuando ya estaba en la esquina mirando la noche fría depositarse en las calles desiertas. Lo seguían cuando se sentó en un cordón, se quitó los zapatos y se miró los pies, flacos, afligidos.

—Me voy —dijo repentinamente el policía, aburrido de la marcha fúnebre. Los tres hermanos siguieron con pasos regulares, pasos de marcha. Tataratá, ta, tatá, los pasos de una marcha dependen del grado de velocidad que se les imprima, generalmente escaso, retenido, los pies se separan del piso con gran impulso, pero con elegancia, por supuesto con cierta severidad en las plantas, en las piernas, que jamás flexionan las rodillas. Un llamado de atención y los músculos están listos, sus fibras concurren sin error, se extienden, se aprietan y el movimiento está ahí como ahora en las piernas del Mudo, el Mudo que recorría la habitación mirando respetuosamente su sombra. Es una marcha de honor, dijo Simón, la hace en honor a tus palabras, Marcos, seguro ha pasado por alto infinidad de cosas, ha hecho la vista gorda y alguna que otra sonrisa de tolerancia para poder marchar.

Simón se calló. Juan parecía dormido, dormido completamente desde que empezó el asunto de la vecina. "Es una estupidez que repite", le había escuchado decir, pero él siguió leyendo lo mismo, aunque le temblara la voz y la otra, la de su corazón, cavernosa, como son todas las vocecitas del corazón (y cómo no, si es un saco adentro del tórax), le dijera "pobrecito Marcos, pobrecito Marcos" demasiadas veces.

"No vale la pena apenarse, no vale la pena."

La madre abre la boca, los ojos, la garganta; girando con cierta torpeza describe una vuelta entera por su dormitorio, pero esquiva los muebles bien, hasta con algo de gracia en algunos momentos a pesar de la artrosis. "No vale la pena apenarse, no vale la pena."

La madre baila. (Ropa negra: pollera negra, blusa negra, medias negras, hoy no, no las lleva, hace demasiado calor, calzado negro también, pero de tela, muy suave. Ella dice en muchas ocasiones: "No puedo usar otra cosa en los pies. Yo no tengo patas de oso".) Por supuesto se cansa rápido, está un poco agitada. Sus mejillas rojas, esa forma de soplar y desplomarse en su asiento de siempre: cuatro patas estilo flamenco, la rejuvenece un poco. ¿Qué hay en la curva de esa nariz que no se resigna, que se adelanta a lo que va a venir orientada por algo, algo en donde la amenaza o la seguridad se le revelan siempre con la misma fortuna?

Está de acuerdo en seguir. Es más, pone la mirada como si algo se le hiciera visible, ocurriera ahí y ella pudiera enemistarse, ser amable, abatirse o mostrarse indiferente, igual que el que se para en un cuarto y presta atención a los que tiene cerca. Ahora recoge las manos sobre la falda, se recuesta en el mueble que está detrás, el único con el azogue intacto, pero que se empaña cuando le llega su aliento: tanto los llama, tanto les recomienda que no pierdan el tiempo mirando únicamente el corso de la calle.

Le preguntó qué tal la veía. Hermosa, a lo mejor es por la boa, la deja caer muy bien sobre los hombros. ¿No alcanzás a verla?, y cuando la desliza casi hasta el piso y luego la levanta suavemente lo mira a él. ¿Creés que entenderá lo que quiere decirle desde su papada? Marcos le habla a Simón, que siguió sin querer acercarse, sin querer dejar de controlar al Mudo, que ahora marchaba por el balcón, en honor a Marisa Serrano y a su boa esta vez. ¿Estás seguro de que lo mira a él? Desde aquí son aventuradas esas precisiones. ¿Y si me mira a mí, que he dicho y redicho que todas las mujeres del pueblo me pertenecen? Ja, ja, ja, con ese ja, ja, ja, Juan rubricó esa afirmación que ya había repetido muchas veces. Y siguió: Ponerse a fantasear es entrar en tierra de nadie, y únicamente a un tonto se le ocurriría fijarse límites. No encuentro demasiadas diferencias entre las jóvenes y las maduras. De todas maneras casi siempre me quedo con las jóvenes, son menos astutas. ¿Conque lo mira a él? Ahí se centra la habilidad, en el control de los detalles, ¿ven?, coloca la cabeza de tal manera que parece, nada más, si no el marido no miraría con esa cara tan desteñida el corso. ¡Al menos estaría colorado! ¡Ah, qué no daría yo por tener la cara como un tomate! Cuando Juan se calló, bruscamente, para buscar entre las mascaritas al hijo de la Serrano —un hilo de música, único, conseguía filtrarse—, Marcos se apartó del barandal; el jovencito del violín no regresaría (aunque el doctor Castello estirara el cuello por la ventana), las murgas lo habían arrastrado, llevado de un lado para otro, subido a distintas carrozas donde él esperaba detrás de cortinas improvisadas que los aplausos lo demandaran.

Demasiado polvo había en las bolsitas de papel picado, los chicos no compraban más que una y al vaciarla la volvían a llenar con el del piso, sucio, húmedo, que se apelotonaba adentro y que al saltar nuevamente por el aire no caía abierto, dispersándose como alegres manchitas luminosas, sino que eran bolas de papel pesado que golpeaban torpemente al desprevenido. Te van a dar en un ojo, le dijo a Juan. Te van a dar en un ojo y ya no vas a poder mirar a la Serrano, ni al hijo, ni a su marido con la papada.

El Mudo se había sentado en el piso del balcón; excepto las piernas, extendidas adentro, el resto se estiraba por entre las barandillas rotas, siguiendo las indicaciones de Juan, te van a dar en un ojo, Mudo. Te lo van a dejar en compota y ya no te vas a poder lucir en esas marchas de honor que improvisás. Cargoso, Marcos los azuzaba. Juan y el Mudo se apartaron un poco, las bolitas de papel, tan descoloridas como mojadas, llovieron sobre el balcón. Nadie lo había visto, pero Simón se había ido. ¡Ah!, se nota, el corso, de golpe, dejó de interesarle. Siempre atento a las reconvenciones de mamá, no puede dejar de tener en cuenta sus disgustillos, sus cambios de humor; ahora parece que el corso le está interesando mucho menos a ella, ironizó Marcos.

Se sentían en falta; Juan y el Mudo habían mirado apreciativamente algunos momentos del corso; se encaminaron al cuarto de la madre, desde ahí observaron a Simón cómodamente apoyado en el alféizar de la ventanita que rozaba el techo. ¡Imagínense el aburrimiento! ¿Voy a quedarme en el balcón lleno de papel picado hasta que aparezcan los fuegos artificiales? Aquí el aire que se respira es mucho mejor. Hasta se gana en perspectiva, no son iguales los gritos y el colorinche a escasos centímetros que a unos cuantos metros, aquí en esta ventana estoy resguardado. Y Marcos: Estoy de acuerdo, hay que apartarse de lo que pueda golpear, las bolitas, por ejemplo, pero no de todo, antes que mirar conviene formar parte. Marcos subía hablando por la escalerita con cierto cansancio: Me iría con el hijo de la Serrano por las carrozas para tocar algo. Subía con el estuche del violoncelo lleno de hojas, que le pesaba una enormidad aunque sonara a hueco.

Ella también está en el cuartito, subió antes que Simón, alumbrada por el deseo de escapar, de arrinconarse en algún lugar oscuro, ese de debajo de los libros y las fotos donde apoyó la escalera. Sin sus zapatos de tela porque el piso frío alivia los pies y la cabeza. Con el pelo suelto, ninguna horquilla, ninguna. ¡Ah!, si cerrara los ojos y no se palpara, ella estaría ahí: la jovencita de los vestidos claros, las hebillas doradas y los pañuelos. Para todos, la enamorada del más esquivo. ¡Aquellos ojos incomparables! A menudo iban a la plantación de espárragos, con las manos hundidas en la tierra, él sacaba precisamente de ella, de lo que aceptaba crecer, lo que le decía. Fue un amor importante. Probablemente su muerte temprana organizó la veneración por la etapa feliz. Cuando recuerda sólo recuerda lo feliz. Los muertos no tienen miedo. Saben. De repente hacen trizas el olvido, desde su muerte horizontal tienen más energía que un ejército y acaparan todo para ellos solos. Nadie tiene que perturbar en este momento el encuentro con su muerto: detentar esa propiedad haría palidecer a otros. ¿Quién quiere ser propietario de un muerto? Por más que se aporte buena fe, es una cuña, se interpone entre los mundos conocidos y los de los otros; a ella ya no la acobarda más. Demasiadas veces pisó las voces apenas aparecían. Después de su muerte, cuando empezaba un verano, había decidido no recordar. Tenía un miedo terrible a sufrir. Había armado los días con tanta paciencia durante tanto tiempo, y en esos movimientos de aguas ningún cauce le correspondía a él, no porque el resultado hubiera sido intolerable, una mancha de barro en una tela limpia y ella no hubiera podido lavarla adecuadamente, por eso había resuelto no recordar. Así, respiró con serenidad. Rió y masticó. Dijo buenos días y buenas noches. Cortó flores, y aunque sentía el infierno quemarle los pies en muchas ocasiones, no se apartaba de la ruta trazada. Sus hijos habían sido buenas excusas para no volver la cabeza. Ahora puede moverse en la oscuridad. El dolor ha dejado de serlo hace rato, ahora es un simple deseo, un deseo de buscar apoyo en el pasado, al que le abre la puerta casi con felicidad. Aunque quiere prolongar ese momento todo lo posible, aparentando escuchar lo que pasa pero permaneciendo en otro calendario, Simón no se lo permite. Tiene demasiadas cosas para comentar. ¿Y Marcos, y Juan, y el Mudo? Todos ahí ahora. Todos sin quitarle los ojos de encima, mujer vieja escapada de una litografía.

—¿Y Juan? Quiero escuchar acerca de Juan.

Mientras Juan bajaba el vidrio de la ventanilla la maestra hablaba animadamente para despedir a los chicos que aún seguían en la vereda de la escuela; señaló hacia el camino: un auto se acercaba muy rápido; luego se volvió hacia Juan:

—¿Usted quiere preguntarme algo?

—Tiene que decirme buenos días.

Juan habló alegremente, sonriendo por sobre el borde de la ventanilla. Sin temor a que ella declinara el pedido.

—¡Que lo salude! ¡Que lo salude!

Los chicos ponían demasiado énfasis, y a ella no le gustó; después, en el aula, por más que golpeara las manos, no conseguiría la debida atención: —¡Basta, chicos! —Pese a la orden, sonrió:— ¿No cree que es una ocurrencia un tanto infantil? ¡Y además toda esa nafta que está gastando! ¿Cuánto hace que mantiene su auto en marcha allí?

—¿Siempre sermonea, chicos?

Juan sacó la cabeza por la ventanilla para buscar complicidad, pero quedaban sólo dos. A los demás se los veía por el camino levantando polvareda con sus bicicletas, que brillaban en el sol. Sus gritos se ahogaban en seguida porque eran veloces y se adelantaban demasiado rápido, tal como lo hacían siempre por aquel camino que no transitaba casi nadie.

—¡Magdalena! ¡Eduardo!

Una mujer llamó a los dos únicos chicos desde el auto que se había apurado minutos antes. Desenvuelta detrás del vidrio, agitó el brazo, sus pulseras de oro, muy finitas, relumbraron. Ya había entreabierto la puerta cuando, dando su primera explicación, comentó:

—Siempre me retraso, pero no importa, el asunto es que quise venir a buscarlos yo.

Abandonó el coche sacudiendo las tablas de su pollera; en el suelo blando las marcas de sus taquitos dejaban una hilera enérgica. A un costado los chicos se corrían uno a otro sin inquietarse, ni una sola vez volvieron la cabeza para mirar a su madre.

—Parece que hoy no me tienen en cuenta.

Recién cuando estuvo a escasos pasos de la maestra reparó brevemente en Juan, éste seguía con sus hermanos profundamente dormidos en el asiento trasero de su coche todavía en marcha y una falta absoluta de preocupación por si ella lo miraba o no.

—Mi marido viajó a Nueva Jersey para comprar unas crías. Le digo porque le extrañará verme aquí. Él jamás delega en nadie esto de venir a buscarlos. —Daba completamente la espalda a Juan pero usó un tono de voz lo suficientemente alto para que él la oyera.

—Todavía no me dio los buenos días —dijo Juan, alzando la voz; a pesar de la marcha del motor había oído perfectamente a la mujer, pero no iba a darle el gusto de que lo advirtiera. Con grave inclinación de cabeza seguía mirando a la maestra, pero sus ojos reían.

—Casi tendría que darle las buenas tardes. O invitarlo a almorzar. ¡Ya son más de las doce!

Había tanto desparpajo, tanta naturalidad (había usado la forma más convincente: invitarlo a almorzar, para dar paso al impulso de demostrarle que su terca presencia no la cohibía para nada), que la mujer miró a la maestra pensando en lo poco que a veces la ayudaba a ella la cortesía cuando pasaba por una situación parecida.

—¿Alguien le preparó el almuerzo? —le preguntó tomando de la mano a los niños—. Estoy a tan pocos kilómetros, en casa hay una comida muy rica. ¿Le gustan los escalopines de cerdo? Si quiere... Yo después puedo alcanzarla de nuevo a la escuela. —Era cierto que no la había guiado ninguna cordialidad, no tenía deseos de invitar a la maestra. Lo que quería era entrometerse, molestar a ese muchacho cuya sonrisa parecía destinada a no desaparecer. Apenas los chicos escucharon la invitación, se soltaron para volver a correr. Corrían por un puentecito tendido sobre una zanja frente a la puerta de la escuela y se balanceaban peligrosamente sobre el agua. No había mucha pero como siempre llovía por esa época nunca se evaporaba del todo.

—¡Chicos! —los reconvino la maestra. Parecía haber olvidado a Juan; seguía interesada en lo que le comentaba la mujer acerca del pasaje en avión de su marido. Juan hizo un ademán de saludo y arrancó, podía tener paciencia, sobre todo quería hacer ver que la ejercitaba y no como una ocurrencia rara. Esta vez, para calmarse, miró el fondo del camino como si tuviera que sortear algo muy peligroso allá.

—¡Eh! ¡Eh! Por qué no se despiertan de una vez.

A menudo, esa manera de dormir de sus hermanos lo desencajaba. Juan los miró, se habían acostado muy tarde otra vez. Simón, por una de esas reuniones interminables en las que hablaba de defender el patrimonio nacional rodeado de hombres que tomaban mate, tratando de no perder el hilo, mientras se caían de sueño. Y Marcos porque, como ya era costumbre, se encerraba en aquella piecita estrafalaria para asomarse sólo alguna vez, cuando se sentía derrotado, como él decía (nunca se sabía mucho acerca de la relación con ese adversario que no lo dejaba en paz).

—¿Llegamos? —Marcos habló con los ojos cerrados, farfullando.

—¿Qué te parece si te pido que me abras la tranquera?

—Bueno, ya bajo —Marcos seguía durmiendo, boca arriba, por debajo de los párpados se veía pasar fugazmente el deseo de incorporarse para ir a abrirle, pero el sueño era terrible y al cabo de hablar volvía a dormir, a la respiración profunda.

—Simón está peor.

—Simón... ¿Qué?

Juan no contestó, miró a Simón, acurrucado contra la puerta, la cabeza puesta de tal manera que era imposible verle la cara, dormía muy indiscretamente, casi se le podía escuchar el rumor de los sueños; seguro no eran muy apacibles porque se estremecía demasiado.

—Ya vuelvo.

Marcos y Simón siguieron durmiendo tal como estaban en sus asientos; pero disfrutarían muy poco más: el eucalipto que rozaba la casa se veía demasiado cerca. Juan ni los miró cuando tomó el volante de nuevo.

—¡Mudo, ya basta!

Estaba de rodillas sobre la tierra, atando cañas para los espárragos, y como si no fuera correcto abandonar su trabajo, ignoró a Juan por completo aunque lo veía avanzar por el camino de ingreso. Para cuando el coche llegó a la sombra de los fresnos frente a la galería, el Mudo había terminado. Aparecieron las consideraciones: saludó alegremente con los dos brazos; luego, tomando la caja de herramientas (pesada para él, habría que tomar medidas, ya no se le podía ponderar la fuerza), se largó a correr despacio.

—Ahora sí que se acabó la siesta.

Marcos y Simón estiraron las piernas rodeados por el perro del Mudo que les husmeaba los pantalones; de todas maneras no ponía demasiado énfasis; adormilado él también terminó por olvidarlos y sentarse a bostezar sobre sus dos patas.

—Esta mañana nos sacaste de la cama demasiado temprano. Después de todo, tanto no hubo para repartir. Simón se va a poner a roncar en cualquier momento, aunque esté parado al sol —dijo Marcos, estirando sus sucios pantalones rústicos, de fajina; su hermano se veía en una pose ridícula, el pelo mecido de vez en cuando por una mano desprolija.

—No lo hago muy seguido que digamos. ¿Acaso no los dejo dormir bastante más de la cuenta, casi siempre? Hoy había mucho trabajo.

En la galería la sombra era muy agradable. Juan se desabrochó la camisa, su vello se extendía hasta casi la base del cuello y ahí se dispersaba moteándole suavemente los hombros. Su piel, apretada contra los músculos, indicaba una fuerza constante. Sin quitarse la camisa del todo sorbía el aire plateado de la galería.

—Parece que padre y madre no se equivocaron en nada con Juan. ¿No te cansás jamás?

Simón se había apoyado contra una de las columnas; algunas manchas grasientas de luz le subían por los pantalones. Por los sectores del techo que nadie parecía tener intenciones de reparar, pasaba el cielo de la mañana: —Es un desfachatado, con los años que tiene. Se parece al abuelo cuando era dueño de todo esto, y de la tierra de los vecinos. ¿Se acuerdan cuando papá contaba que no había caballo que le viniera bien, todos le parecían demasiado mansos, y que cuando hablaba de él siempre lo hacía en tono despectivo: "A éste le gustan demasiado los libros"?

Juan disfrutó con la burla:

—Con respecto a ustedes dos creo que tampoco los genes se equivocaron. Papá habrá brindado un par de veces.

A un costado, sobre una mesita desvencijada, había una jarra con agua: "Está fresca", dijo Juan. Y se la volcó sobre la cabeza. Al trasluz, las gotitas se deslizaban sombreándole el pelo, encaramándosele sobre la nariz y las mejillas para darle apariencia de frescura verdadera.

El Mudo tomó a Marcos por los hombros y lo zarandeó un poco. Está enojado, dijo Juan, y hace bien, te metiste a decir que está viejo, te metiste a decir de mí y de las mujeres, con ese tonito... Y Marcos: ¿Y si después es peor? Si no quieren dejamos aquí. Dejamos y punto. Pero la curiosidad... la curiosidad... ¿Que qué? ¿Eso dijo ése de mí? ¿No es así siempre? Soplale a alguien que en algún lado algo se ha escuchado acerca de alguno y luego que ese alguno parece que es él, y lo vas a ver quebrarse, aumentar su perplejidad hasta echarse a temblar lastimosamente, y aunque trates de limpiar la emoción y tocar un lugarcito salvable, vas a encontrar sólo eso, un temblor de pura curiosidad.

Doy fe, no hacen falta los ojos, se bajan piadosamente porque se cree en eso que se ha dicho como en una certificación. ¿Y qué es lo que pasó?, sólo se respiró, la lengua se hamacó entre el paladar y la dentadura y un sonido semejante a un alambre se enroscó alrededor de una idea, qué digo una idea, apenas un vagido, un vagidito (que a su vez se armó de suposiciones), para arrancarlo de cuajo y ponerlo a consideración de unos oídos cualesquiera. Tatá, tan. Siempre me gustaron los discursitos. Ahora lloremos con Juan y el Mudo los atropellos de que los hice víctimas. Pero Simón: No hace falta, hace rato que te dejaron para ir a mirar el corso, me quedé yo porque no me gusta dejar a alguien hablando solo. No sé, da mala espina. ¿Y si le pasa algo a este coso? No es así. No creo eso. En realidad quizá no te habrías dado cuenta si te hubieses quedado solo. Creo que no me fui para ver dónde miraban tus ojos con esa llama, pero como no alcanzabas a atravesar el centímetro, ¡cuidado!, no ibas a abandonar el resplandor propio, te traje agua. No quiero que seas ceniza, polvo, aunque seas ¡polvo apasionado!

¡El Momo, el Momo!, gritó Juan desde el cuarto de la madre. Más lejos, desde la vereda: ¡El Momo, el Momo! Más lejos, desde cualquier punto de la calle: ¡El Momo, el Momo!

Y ahí estaba, al término de la escalera, en la carroza demorada hasta el final ex profeso. Los escalones hechos con un tejido de rosas blancas y rojas traídas de un vivero famoso; si se hubiera ascendido por ella o apoyado un pie en algún sitio, se habría notado, pero no, estaba intacta, ni la más leve huella. Se suponía que lo habían izado con un aparejo, desde las poleas la soga habría bajado para sujetarle la cintura y las sedas.

Igual que un relámpago bajo las luces, su corona apagaba el resto. Pese a la altura, en ese tramo se lo veía muy nervioso. Iba solo, tomado de la barandita que se elevaba por sobre el plinto, también armado con rosas. Se inclinaba a cada momento para decirle algo a un paje que en el suelo agitaba demasiado tímidamente un arnés con cascabeles, para salvar la grandilocuencia habían distribuido otros diez más vehementes alrededor de la carroza. Por debajo de la faja bordada en oro se veía un vientre muy abultado, eso lo molestaba mucho cuando se agachaba (¿ya cuántas veces?); al incorporarse resoplaba tanto que el aspecto de su cara era de un rojo muy llamativo.

—Viva el rey. Viva el rey.

Hubo un claro, un instante de vacilación. Fue ahí cuando se puso más nervioso. Y luego:

—Aunque el... se vista de rey... queda.

Por más que se hiciera el esfuerzo no podían entenderse las palabras intermedias, pero era algo que no le gustaba al Momo; además, si bien el estribillo arrancó desde un balcón, al instante lo cantaban todos; por supuesto las palabras intermedias eran elegidas arbitrariamente, a gusto de cada cual, pero era evidente que cada vez eran más desagradables porque el rey empezó a tironear de los arneses sujetos a la barandita del plinto y el cascabeleo fue tan grande que los pajes se pusieron a correr y a azuzar los caballos para alejarlo lo más rápido posible. En la huida iban sorteando otras carrozas además de los postes de las luces, pero no era fácil debido al poco espacio entre ellas. Aunque de alguna manera lo conseguían; al adelantarse el rey vio mejor las otras carrozas, algunas le parecieron realmente muy pobres, sobre todo una con bolsas de arpillera en la que para colmo había decidido instalarse el violinista maravilloso. Por eso pidió que a la suya la pusieran a la cabeza de las más grandes y ornamentadas para que no se desluciera y también, y en esto insistió mucho, que de ninguna manera se les ocurriera pasar de nuevo por la calle en la que estaba el balcón ese donde habían empezado los estribillos.

La madre no quiere mirar la huida del Momo, está en el balcón, de espaldas a los caballos que se alejan, pregunta si Castello canta con todos, le dicen que no. ¿Tampoco está en la ventana? Es mejor mirar al Mudo, de perfil, los rasgos desfigurados por un sentimiento que ya no puede elegir los caminos normales para mostrarse, no puede hacerlo zapatear ni agitar los brazos, puede únicamente estarse ahí, en el medio de la cara, tratando de evitar que ella se quiebre en pedazos.

Marcos volvió primero, eligió un lugar donde corría viento, entre la puerta abierta de la escalera y la banderola, era una corriente bastante fuerte, los papeles del estuche se desordenaron. A ese cuarto oscuro había que aceptarlo tal cual: con los rumores de afuera, con el del violinista y la mujer de la boa, del rey, arriba, tan cerca de un ataque de apoplejía. Y con esos libros, con el velador apoyado sobre una carpeta rodeada de viejos adornos que pertenecieron a otras familias. Con la caja de zapatos vacía. ¿Por qué había aceptado el estuche del violoncelo? Con esas voces que se acercaban, que subían por la escalera:

Voz primera: Marcos no aguanta demasiado el corso. (¿De Simón?)

Voz segunda: Tiene un límite. No pasa de diez minutos. (¿De Juan?)

Voz tercera: Hace lo que quiere hacer. Nunca lo vi arrepentido. Tiene que estar ronco ahora, gritó por él y por el Mudo. (¿De la madre?)

Sin soltar la caja de herramientas el Mudo se quitó las alpargatas y se puso otras más viejas pero más limpias apenas entró en la galería. Después acomodó la caja en un rincón y se sentó sobre ella. Feliz, casi no prestaba atención a lo que decían, se inclinó hacia ellos para ver cómo reaccionaban, cómo gesticulaban y reían, disfrutando lo más posible el desorganizado encuentro.

—Trajimos algo para comer —dijo Simón, mirándolo como si recién lo descubriera. Habían estado discutiendo acerca de los rasgos heredados, poniendo en la balanza de cada uno lo que era claro y lo que era dudoso; esa indagación siempre les producía vértigo.

—También trajimos para el perro.

Marcos tranquilizó al Mudo, lo vio acariciando repentinamente al perro que no podía apartar la vista del envoltorio con comida dejado sobre la mesa.

Cuando el Mudo buscó una toalla, lo siguieron. Se acercaron a la bomba de agua en orden, sin hablar, acompañados por el perro; ciertas decisiones (primero la bomba y de allí a la mesa) las seguía tomando él, igual que cuando eran chicos: lo habían contratado muchas veces, ocupaba el número uno en la lista cuando se requería mano de obra competente. Su padre lo hacía aún en las épocas en que el trabajo no era fuerte: necesito refuerzos. ¿Cuánto creen que puede hacer un hombre solo?

Bombeando volvía a los veinte; hinchados por la

fuerte contracción los músculos del Mudo volcaban la fuerza justa sobre la palanca a un ritmo muy calculado. El agua aparecía saltando sobre la pileta.

—Sale como a mí me gusta —lo estimuló Simón, metiendo las manos y después también la cabeza.

Mientras Juan bombeaba para el Mudo, Simón y Marcos con aire receloso en la galería extendían sobre la mesa un mantel limpio, apartando con las piernas los bancos largos de los costados. Nadie entraba en la cocina oscura, retrocedían frente a las ventanas orientadas al sur, protegidas por rancias cortinas de cretona. Preferían la claridad de afuera, que era intensa pese a la hiedra tendida en las arcadas, en los caños del desagüe y en los fresnos próximos.

—¡Apúrense! Tengo hambre —gritó Marcos llevándose a la boca un pedazo de pan, lo había conseguido rasgando un paquete de la mesa. Uno tras otro devoraba los trocitos crujientes.

—¡No abras los paquetes! No quiero comer con moscas alrededor.

Porque las había, al acecho, entre las copas del monte, entre las plantas que sobrevivían en los canteros abandonados; debajo de la galería menos, pero aun así molestaban al perro, que sacudía la cola para espantarlas.

—Esta mesa, aquí, es una pena —dijo Simón, levantando el mantel para mirarla—. Es una buena mesa. Uno de los pocos muebles que quedan, al abuelo se le daba por esto.

—Mamá los regaló casi todos.

—Es increíble. Los cuartos están llenos de muebles.

—Dio los del abuelo y trajo otros. Bueno, no los dio todos, se quedó con algunos, los más interesantes, lo sabés muy bien. A veces la veo revisarlos cuidadosamente.

—Me gusta a medias entrar ahí —dijo Simón señalando con la cabeza las puertas oscuras, cerradas por fuera; los candados daban a la galería—. Hay demasiada mezcla.

—Yo no. Claro que hay mezcla. Cuando hago el inventario los miro. Son tan diferentes y tan parecidos, con toda la roña de los años encima. Hace poco le mandaron un arcón, le faltaban casi todas las bisagras. Mamá no se lo había pedido a nadie. No supo quién se lo mandaba, fueron muy vagos en dar explicaciones los que lo descargaban. Me enteré después de que perteneció a una inmigrante nada gris que se llamaba Sara, vinculada a las andanzas del abuelo, averigüé. No te asustes, él para el barro tenía resistencia. ¿Quién sabe Juan...?

—"¡Arcón de la bella Sara!", escribiste seguro por esa manía tuya de embellecer hasta el inventario —bromeó Simón, pasando por alto lo que no le gustaba. Sus destellos de humor no le parecían a Marcos para nada gloriosos. Y luego—: ¡Parecidos! Sin embargo defendiste a muerte el escritorio de papá. ¿Te acordás? Mamá había decidido regalarlo a la cooperadora de una escuela, te ofrecía el del abuelo. Te lo ofrecía a vos aunque yo tragara saliva. ¡Esa tapa de cierre en declive, perfecta para apoyar papeles! Cuando vinieron a buscarlo vos lo habías descartado y puesto todas tus cosas en el de papá. Creo que mamá miró con frustrada codicia cómo brillaba aquel escritorio en la vereda.

—El del abuelo nunca guardó nada que pudiera interesarme salvo... las cartas a la bella Sara. En cambio el de papá... Todavía conservo la pata floja:

una herencia que no puedo dejar de valorar. Al menos no disimuló que algo no se paraba debidamente.

—¡El vino! —se sobresaltó Juan—. Me olvidé del vino. —No miró los gestos del Mudo. Tampoco lo miró cuando fue a buscar la botella de vino llena hasta la mitad que guardaba en el pozo, e ignoró así su decisión de repartirlo; en fin, en realidad, de no tomar ni una gota para que a ellos les alcanzara más.

En el estrecho camino de dura maleza que lo conducía a la calle, flanqueado por los frágiles armazones de caña de los espárragos, Juan reanimaba —era mejor eso que las historias con Sara— su decisión de ir en busca de vino, aunque a esa hora encontrar un negocio abierto en el pueblo fuera muy poco probable.

"Me pasa por querer ocuparme de todo. Aquellos dos puro bla, bla, a ver qué tal el estilo de cada uno. Alguna vez los voy a dejar que duerman un día entero, o dos, o tres, los que hagan falta. ¡Que se peguen a la cama para siempre! Estoy hasta acá de la oratoria."

La luz hervía en los vidrios, y los ojos de Juan, sin poder acomodarse del todo, hervían junto con ella. A pesar de las ventanillas bajas no se soportaba el calor porque el sol había caldeado el viento demasiado. Ni un árbol, ni un pájaro, nada se atrevía a herir esa claridad que asolaba el cielo y el camino.

"Y Simón dice que le gusta el verano. Para colmo ni siquiera empezó. ¿Pero por qué no lo mandé a él? Es justamente el indicado."

Después de la curva alcanzó a ver el montecito apretado de árboles de la escuela. Era una niebla verde y prometedora. Sólo debía pisar el acelerador. A partir de ahí el camino se hacía más agradable y sombreado. Juan, a pesar del calor, empezó a silbar. Recordaba nada más que la primera parte de un ritmo que ya no estaba de moda pero con eso era suficiente, de golpe lo único que importaba era esa tentación por silbar, mal, pero silbar. Sin mugir, con los ojos pegados al alambrado, unas vacas buscaban compañía; bostezando frente al volante Juan las miró como a viejas conocidas. Las mariposas, a las que no había tenido en cuenta, lo alteraban ahora; eran muchas, volando eléctricas, rompiendo lo rígidamente apacible de la serie interminable de cambios que el movimiento del coche le traía.

"... o invitarlo a almorzar".

Recordó aquella invitación cuyo tono no había perdonado, pero aun en la risa y en el desafío él vio cierta connivencia, un deseo apenas manifiesto, que en el fondo no le disgustaría, con excusas que no convencían, tenerlo ahí, frente a su plato.

"... o invitarlo a almorzar".

Iba a detener el coche cuando llegara a la escuela y, usando la misma jovialidad, la misma manera cálida y burlona, diría que había aceptado la invitación y que ahí estaba. Era posible que finalmente no hubiese consentido en ir a comer los "escalopines de cerdo" y ahora se encontrara bajo los árboles comiendo una manzana, precisamente debajo del árbol "delicioso a la vista", y entonces él podría llegar y resultarle "agradable a los ojos" tanto como para que ella le ofreciera de su propia fruta.

Juan: ¡Quiero comer una manzana!

Simón: ¡Quiero comer una manzana!

Mudo (batiendo palmas, acomodando los labios de manera tal que todos se dieran cuenta): Quiero comer una manzana.

Las manzanas llegaron a través de la ventanita que comunicaba con el cuarto de ella. Sin decir una palabra, la persona que las arrojaba ponía tanta vehemencia, tanto ímpetu, que parecían venir, paradójicamente, desde muy lejos, desde un sitio donde la sibilancia iba, a pesar de la resistencia del aire, en constante aumento, por eso las manzanas no daban un salto corto para caer con sequedad en el cuartito, sino que describían una breve pero amplísima curva, sonando con firmeza todo el tiempo hasta llegar al suelo. Ya había unas cuantas sobre el piso. Y comieron. Y no bebieron porque para ir a buscar agua había que bajar la escalerita, atravesar el cuarto de ella y meterse en el bañito contiguo (y descubrirían así quién las arrojaba).

Marcos: ¡No quiero!

Simón: ¡Basta!

Juan: Basta (en absoluto convencido).

Mudo (todavía con la boca llena de fruta pero con la mirada solidaria).

No se detuvo frente a la escuela. Un poco más lejos, a la sombra de unos álamos, estaba parado el auto de la mujer que invitara a su casa a la maestra. Juan la conocía muy bien: era Elena Blanc. Realizaba todos los viajes que se proponía. "Al mundo no se lo puede dejar de conocer", dicen que decía. Se la veía muy de vez en cuando por el pueblo. Eso de mandar a los chicos a una escuelita de campo era otra de sus delicadas estridencias: una mujer extravagante con un toquecito de vulgaridad. Juan nunca la había mirado directamente a los ojos (ni siquiera la había mirado de lejos), esta vez sí:

—¿Qué le pasa, señora?

—Mejor que no hable. Pero ya se están ocupando de mí. —Su voz era de una cortesía cortante. Le dirigió una fastidiada mirada a Juan, que le hablaba desde su auto, parecía que no lo consideraba lo suficientemente apto para ayudarla.

—De todos modos me gustaría saber qué le pasó.

Ella miraba con fijeza hacia adelante y se acariciaba una mejilla; de su mano pequeña provenía un suave resplandor.

—Este auto está siempre dando sorpresas. No sé por qué lo usé hoy. ¡Se viene a descomponer como si fuera chatarra! —Luego de una rápida batalla con su rabia:— De todas maneras ya se están ocupando, gracias.

Juan se había bajado del auto; mientras se acercaba a ella creyó descubrir un atisbo de sonrisa, quizá su situación no dejaba de entretenerla; como estaba rodeada de un presumible perfume que él no pudo dejar de aprobar (aprobó su efecto delicado cuando sin querer ella lo desparramó apantallándose con la mano), se detuvo a una distancia prudente.

—Es extraño que la hayan dejado sola aquí, a esta hora no pasa nadie.

Bajo el cielo sombreado los rasgos de Juan restallaban; se agitó la curva suave de su nariz pero no la mirada, que permanecía impasible.

Algo pensó ella. Algo pensó acerca de Juan, que le hizo cambiar un poco su moderada actitud. Palpó el volante y luego se volvió:

—Justamente por eso me quedé sola aquí. Sé que a esta hora no pasa nadie. Se llevaron a los chicos y a la maestra. Sánchez y su hijo son buenos vecinos. De todas maneras ya estarán por volver; los dejaban e iban a buscar unas cuerdas, lamentablemente no las llevaban con ellos. Quiero manejarlo yo cuando esto vaya arrastrándose.

—La maestra se fue, pudo quedarse a acompañarla.

—Tuvo que hacerlo. Si se quedaba, los chicos iban a querer quedarse también.

Aparte del polvo, adormecido por el sol, nada había en el camino, pero volvió a mirarlo como si realmente por ahí apareciera el auxilio y ella tuviese que preocuparse por corregir la dirección del auto, prepararlo para el remolque. Tenía un lindo perfil, sus pestañas sombreaban unas leves ojeras que esfumaban las líneas de su cara; los brillantes, muy chiquitos, de las orejas, a esa hora brillaban demasiado. Lo que más seguía Juan era ese gesto particular de acariciarse seguido la mejilla. Era un gesto vagamente supersticioso, como si se tratara de ahuyentar situaciones poco propicias. El interior del auto era muy confortable, beneficiado por la sombra de los álamos, ofrecía un reparo fresco; la seda de su blusa por esa razón estaba impecable.

—Es una lástima este plantón aquí, aunque el auto esté a la sombra lo mismo hace calor. Y tiene sus riesgos. Usted dijo que a esta hora no pasa nadie. Y ya ve... pasé yo. Y yo podría ser un personaje muy poco santo.

Si bien el tono de voz de Juan no dejaba transparentar nada, salvo algo de inquietud por su situación, él mismo en ese final sintió un despunte de insolencia.

Convenía dejar por el momento el tema de la soledad de ella y poner la atención en el auto:

—Es un coche para no abandonar así porque sí. Supongo que costará una fortuna.

—¡Ah! Sí... Mi marido se quedaría aquí aunque llegara el diluvio. Como él no está me siento más responsable.

—De todas maneras los Sánchez no van a demorar demasiado.

—No. Por eso no hace falta que usted se quede. No tengo miedo. Jamás tengo miedo.

Juan entonces aprovechó para contarle acerca de un episodio que había vivido en el que aparentemente no había por qué tener miedo, él de ninguna manera lo había sentido al principio, pero después todo se fue enrareciendo hasta que el miedo fue inevitable.

El interés mantenido por ella era de consideración, en algunos momentos incluso llegó a ser importante, pero después decreció porque Juan acentuó un incidente menor, y ella, sospechando cierta falta a la verdad, se volvió menos curiosa. Por último bajó del auto y se apoyó contra la puerta. "Tengo calor", dijo, y volvió a tocarse la mejilla. Poco a poco lo que contaba Juan se fue apagando y los dos se quedaron en silencio, a la sombra de los álamos, rodeados por la agitación de las mariposas y el canto de los pájaros.

—¿Le gustan los pájaros? —dijo al fin Juan, y se puso colorado; esperaba decir algo sorprendente para reiniciar la conversación y salía con eso, se le había escapado de golpe mientras buscaba una frase para terminar con ese silencio que estaba durando mucho.

—No.

—¿No le gustan? —Pero, ¿su actitud no era desconcertante? ¿Qué le pasaba? ¿No contaba con interesantes réplicas? Se imaginaba con un aire bobalicón buscando los ojos de ella, que ahora se le ocurrían inteligentes, cargados de una perspicacia que antes no había descubierto.

—No. —Volvió a decir ella y se puso a reír. Se reía con inquietud, tratando de contener la risa, impulsándola hacia el estómago, moviéndose un poco para evitar que se viera cómo le temblaban los hombros. Había apartado los ojos porque además se le habían llenado de lágrimas, se le amontonaban en las pestañas y las enturbiaban brillantemente, cosa que le venía bien porque lo que se agazapaba en la pupila no había manera de averiguarlo.

Juan estiró un brazo para tocarle la mano, pero se detuvo. De golpe sintió un violento deseo; hubiera querido estar más cerca, tomarse tiempo para sentir bien su perfume —ahora que poco a poco ella se iba calmando—; inclusive ir más allá y encontrar su piel demasiado blanca, demasiado nueva para él, que siempre quería apartarse un poco de la voluptuosidad, a pesar de sentir tanta tentación por ella.

Nada superfluo había en ese momento. Ella estaba ahí, recostada contra la puerta del auto, mirando en apariencia el trigo que ondulaba brillando como cuando se sacude al sol una sábana. No estaba pensativa, se abandonaba a ese nuevo estado de ánimo tranquilamente, los hombros flojos, para ser abrazados, se abandonaba sin tenerlo en cuenta para nada a él, y menos aún los efectos que esa indolente contemplación podría provocarle. De golpe se sintió solo. Una vez había vivido una situación similar, había sentido todo el peso del abandono, un perro perdido en el fondo de la noche no se hubiera abatido igual. Y sin embargo se había tratado de una tontería. Fue en la iglesia para una fiesta de Pascua. Era muy chico. Entró con su abuela, a la que adoraba; todavía no había gente, era muy temprano, lo llevaba de la mano, el altar tenía muchas flores blancas, chiquitas, cortadas en el jardín de la parroquia; en el altar alrededor del Cristo crucificado las velas ardían nuevas, recién alineadas, de espaldas a los movimientos y los ruidos de la calle, tiñendo de una triste claridad la madera del Cristo; su abuela lo había hecho arrodillar al lado de ella, pero después de pedírselo abrazándolo brevemente con la mirada había cruzado sus manos y mirado aquella cruz. Pasaba el tiempo y por más que le dolieran las rodillas no se animaba a interrumpirla, no se animaba a interrumpir aquello, el perfil tranquilizado por esa sonrisa que no se sabía en qué sitio del alma nacía, ese sitio que había conseguido abrirse paso y llegar hasta ahí. Él casi no podía creerlo y tenía miedo pero sentía que el alma de su abuela estaba por asomarse, estaba en el borde de los labios apenas entreabiertos: no se recobraban, la forma natural no conseguía aparecer, una y otra vez, después de una levísima reacción volvían a la postura abandonada del comienzo.

—¡Allá vienen! —La voz de ella se cargó de un alegre sobresalto. Caminó unos cuantos pasos hasta dejar la parte sombreada por los álamos. Ya alcanzada por el sol tenía la inconfundible apariencia que da la seguridad.

—Vuelva aquí, se va a insolar.

—Tampoco le tengo miedo al sol.

Juan pensó que debía poner un cerco, rodearse con él, disponer de unas cuantas mirillas dirigidas a sí mismo para que lo alertaran apenas se insinuara su estupidez. Rumiaba y se mordía los labios y veía avanzar por el camino el auto colorado de los Sánchez. Pero de golpe también pensó que a lo mejor no todo estaba perdido por completo.

Tenía sus cosas, pero yo la perdonaba siempre, habrá sido por ese hablar sin inflexiones que molestaran, donde la exigencia no le levantaba el tono jamás, por ejemplo; peligroso porque uno terminaba aceptándole más de la cuenta, dijo Juan caminando por el cuartito con la fotografía de su abuela en la mano. La había descolgado, soplado el polvo, y ahora no le quitaba los ojos de encima. Juan, Juan, si te vieras los ojos, apuesto a que le estás mirando el pelo, pero ese amor todos lo sentimos igual, yo averigüé el momento en que se armaba las trenzas y la espiaba, soltaba el pelo para abrirlo en dos, horrible así de largo para una anciana, lo extraordinario era vérselo trenzar sin espejo, con ese resultado. Uno, dos, tres, cuatro pasos y el Mudo se puso a la par de Juan, sonrió, y sacó del bolsillo de la camisa su documento, lo abrió, ahí estaba la fotografía de la mujer que lo ayudaba con los espárragos, que lo miraba de aquella manera cuando él era rey y se cambiaba en su casa:

"¡Viva el rey!" ¡Viva el rey!", habían cantado entonces los tres hermanos junto a la madre. "¡Viva el rey! ¡Viva el rey!", cantarán siempre los tres hermanos aunque no los acompañe la madre del Mudo porque se ha muerto.

Era muy morena, dijo Simón, mirando por sobre el hombro del Mudo, recorriendo con el dedo índice el pelo, los ojos, la piel tan oscura. Y la abuela me lo dijo, dijo Juan, dijo no te cases con una negra, no me gustan, si es pobre no importa, basta que sea blanca,

blanca y trabajadora, negra no, no me gustan. Y a mí me gustaba una negra, una chica maravillosa, yo le había regalado una blusa roja que se ponía siempre, le quedaba maravillosa, pero era muy negra. Nunca me hubiera animado a mostrársela a la abuela. Ella se casó, con un negro también, y tiene tres hermosos hijos negros, los veo a veces cuando van a la plaza, a los juegos. Y Simón: ¿Hermosos? Y Juan: Hermosos.

Ella come una manzana, despacio, hincando los dientes con cuidado, arrastrando la pulpa que cruje, que se desgarra bajo el filo de su mordedura; en los labios el jugo se pega, es fresco, es rojo ahora porque se mezcla con la cáscara, sana, hecha pequeñas hilachitas que consiguen ir más allá de los dientes, los labios están para eso, sorben todo, se consuelan, la pasta sigue siendo fresca porque tiene memoria de fruta, de manzana recién nacida, de recién aparecida entre las hojas del árbol. La boca no hace más que esperar que la madre levante la mano con la manzana para acabarla, no importa si no hay otra, con ésa basta.

—¡Silencio! (Es el adolescente del violín.)

—¡Silencio! (Es la madre del violinista, la mujer de la boa.)

—Sí... —No alcanzó a terminar, bostezó, miró para otro lado. (Es Serrano, el tendero, demasiadas horas de trabajo.)

—¡Un momento! (Es el mono de la carroza de la selva que se mudó a esta otra, la más pobre del corso.)

El chico se merece algo mejor, es un violinista maravilloso.

—No me voy a ir de esta carroza —dijo el chico.

—Tiene razón, yo lo apoyo —dijo la madre y miró a Serrano.

Serrano no dijo nada, estaba muy hosco por el cansancio.

Serrano se arrepintió y habló:

—Que haga música en cualquier lugar, me da lo mismo, que la haga ahora porque después, cuando le toque la tienda, va a estar reventado.

Chiinn... Chiinn, chiinn... El violinista probó las cuerdas.

—No, nooo... No —gritó el mono que se había mudado.

—¿Por qué no se la decoramos entre todos? —dijo la madre, Marisa Serrano, y se quitó la boa para enroscarla en la lamparita de la carroza, que tambaleó sobre un escenario sin nada.

—¡Ah! ¡Ah!

La exclamación fue unánime, la boa no empañó la luz sino que la cambió, le agregó un fulgor irisado, hasta las arpilleras perdieron humildad y consiguieron cierto aire suntuoso, aire de sala de palacio, con reflejos de brocados.

—No es suficiente —desaprobó el mono—. Hacen falta flores.

—¡Flores, sí! ¡Flores!

Los gritos partían de los que observaban; las cabezas empezaron a girar en todas direcciones cargadas de intención, de propósito mal encubierto, pensando en la mejor manera de apoderarse de las flores que aparecían por los jardines y los balcones.

Al fin se decidieron; algunos arrancaban con

disimulo, en otros casos no, el disimulo no era tenido en cuenta y arrancaban abiertamente. Las más grandes, para colmo.

—No, no. ¡Depredadores! —Castello había abierto la ventana y agitaba los brazos, desesperado.

—¡Mezquino! —reprochó la madre del violinista; ella sola había atravesado la puerta del jardín y cortado unas pocas. Sin la boa parecía otra, de cuello gordo, de hombros un poco abultados y del color de la cera, el cuello como de leche, parecía otra. Parada en medio del jardín las flores se le perdían entre las manos.

—¡Las de los balcones!

Alguien dio la orden, pero hacía falta una escalera y alguno que se atreviera a subir: pese al griterío general lo mismo se escuchaba muy bien cómo, después de varios titubeos, había muchos que se brindaban con entusiasmo. No se supo de dónde, pero las escaleras aparecieron, en su momento se apoyaron contra las bases de los balcones, sin afirmarlas demasiado porque la gente se ofrecía a sostenerlas.

El Mudo al principio las cortaba para arrojarlas rápidamente al piso de la carroza, pero ella desde el dormitorio le dijo que no, que alcanzara las macetas enteras. Ayudemos todos, dijo Simón, alcancemos todas las macetas, la carroza tiene que quedar cubierta de flores, si no no sirve, con pocas va a tener un aspecto más lastimoso todavía. No escuchen a Castello, tápense los oídos por un momento. Se va a cansar de gritar, no sé cómo le aguantan los pulmones pegado a ese olor a creolina.

Y Juan: Voy a cortar las que están en el patio, hay de colores muy bonitos, si me apuro por la escalera voy a llegar a tiempo para que las coloquen en un buen sitio. No quiero sacrificarlas para que las abandonen por las esquinas.

¡Si son malvones! Juan, sos un exagerado, cuidás de ellas como si se tratara de orquídeas, aunque te apures no creo que les den un buen sitio, hay otras flores mejores, fijate en esas que amontonan a la derecha del violinista, las amontonan con poco cuidado y sin embargo lucen, dijo Simón; y él, Marcos, que hasta ese momento había hecho muy poco, había mirado solamente, como si ése fuera su deber, y no era ése, vaya si no, pero como había mirado, se dio cuenta de que las carrozas, acortando el recorrido, doblaban en la esquina para no acercarse. Los habían abandonado; Marcos supuso que obedecían alguna orden del Momo, una orden que habría dictado a todo trapo mientras se marchaba por la calle arrasada por esos cánticos que no le gustaban.

Sola en medio de la calle parece linda, dijo Juan después de entregar los malvones, parece increíble que hayan aparecido tantas flores, y yo que pensé que en toda la cuadra no se iban a reunir demasiadas. Había tantas flores, pero tantas, el violinista no sabía dónde acomodarse, empujaba disimuladamente con el pie las macetas y los frascos, quería hacerse un hueco, un claro, pero cada vez llegaban más y lo sobrepasaban. Finalmente se pusieron de acuerdo en que ya era suficiente y lo dejaron solo entre las flores, bajo la boa que temblaba enredada en el perfume, ese perfume al que nadie le había controlado el peso pero que podía afectar al violinista, provocarle un vahído, por ejemplo. El doctor Castello era capaz de esperar eso, pero no, él también parecía subyugado, miraba constantemente hacia donde estaba la carroza, que se amodorraba en un tranquilo colorinche después de haber eliminado al resto.

¡Ah! ¡Ah!

La exclamación otra vez fue general. Sintiendo la necesidad de aumentar la luz de la lamparita envuelta por la boa, sin hacer correr al músico de su lugar y, lo que es más importante, eligiendo los lugares estratégicos, fueron colocando velas, velones mejor dicho, porque los cabos eran muy altos y muy gruesos y sus pabilos daban la impresión de que no se consumirían en mucho tiempo. En realidad el ¡Ah!... se dio cuando los encendieron, cuando la luz, complacida en su temblor, perturbó la visión del músico y las flores, que se volvió borrosa, y se hizo más difícil, más borrosa, a medida que el parpadeo de las velas fue aumentando con el viento de la noche.

Todo cambió cuando el violinista empezó a tocar, no hacía falta que se lo mirara, más bien convenía cerrar los ojos y escuchar cómo sonaba aquello, cómo se lo oía buscar entre las cuerdas tratando de inventar un nuevo orden y cómo lo abandonaba a poco de conseguido para producir otro distinto. Pese a lo nuevas las melodías parecían sonar de una manera absolutamente conocida y la gente esperaba lo que vendría con un gesto de abandono y seguridad.

Pero hubo quienes abrieron los ojos y miraron, el fuego de las llamas se había tranquilizado, pero había crecido; erectas, casi tiesas, las llamas llenaban ahora de una luz increíble el escenario, y las flores, alentadas por la música y la luz, se habían distendido tanto que sus corolas eran mucho más grandes, y el violinista, suspendido sobre aquello, tan cerca del cielo como de la tierra, seguía ejecutando su música maravillosa.

Me gusta estar aquí, con los ojos cerrados, escuchar el eco en mi cabeza, recordar lo que vi, dijo Juan, que además del violinista había visto a los tres hijos negros de su antigua chica maravillosa (los vio casi pegados al violinista, sus ojos enormes brillaban junto al resplandor de las velas). ¿El Mudo está dormido o no?, preguntó Simón extrañado por su actitud de no pestañear, tan quieto debajo de la escalera de mano que llevaba a la banderola. Dejalo, dijo Juan, no lo molestes, por fin consiguió pasar un buen momento, aprovechemos esto, se está bien aquí, estamos reunidos y hay silencio. Un tiempo se mantuvieron así, callados, sin prestar atención a nada en particular, ganados por la atmósfera apacible del cuarto iluminado apenas. Marcos había apartado sus papeles y puesto el veladorcito casi en el centro del escritorio, todos lo miraban como si fuera fuego, un fuego que aproxima como el que se enciende en invierno. Cuando la oscuridad descendió por pesar demasiado en el techo (los rincones peligraban, la cara del Mudo casi no se veía) Marcos pensó que había en los demás cierta falta de consideración. ¿Y los papeles dentro del estuche del violoncelo? Los letargos del Mudo, fuera cual fuese la causa, nunca eran demasiado largos. ¿Qué le pasaba ahora? ¿Y Juan? Después de todo era su historia individual y mostrarse tan aprensivo, tan... ¡Indiferente! Eso era precisamente... no lo podía sufrir. Vamos a terminar por dormirnos, dijo Simón estirando complacido los brazos. Y Juan: No estaría nada mal.

¿Qué fue lo que encontró el Mudo en sus ojos, pobres ojos exigidos? Se levantó de un salto y le puso entre los brazos los papeles del violoncelo; aunque sintió por sí mismo cierta conmiseración, aunque no se atrevió a mirar directamente a nadie (descubrir un resto de fastidio hubiera sido fatal), aunque ciertas toses y movimientos furtivos le resultaran muy sospechosos, Marcos volvió las hojas y empezó a leer, no, no empezó de inmediato, antes, en el instante previo a su voz, pensó muy a su pesar por qué diablos existirían, así porque sí, los violinistas maravillosos.

—Vuelva aquí —le dijo en tono perentorio a la mujer, que seguía vigilando el auto rojo, supuestamente de los Sánchez—: tiene usted la piel demasiado blanca, si sigue ahí, esta noche va a dar lástima.

—No tengo a quién dar lástima esta noche. —Su tono era seco; para colmo, como estaba de espaldas, Juan no podía verle la cara.— ¿Qué le pasaba que estaba tan pensativo? —dejó escapar ella de pronto, volviendo apenas la cabeza.

—La que estaba pensativa era usted, por eso yo me acordé de momentos de abandono, el que está pensativo abandona al otro, lo abandona porque lo olvida completamente.

—¿De qué se acordó exactamente? —Ella ahora parecía considerar otra cosa, ya no miraba el camino, miraba con fijeza a Juan; se había acercado a él adelantándose unos pasos.

—De un momento con mi abuela —lo dijo poniéndose rojo; pero la mujer había hablado con un ritmo apremiante que lo obligó a contestar sin vacilación. Cualquier cambio se hubiera notado.

—¡De su abuela!... Pero usted tiene un ángel de la guarda. Cuídelo si quiere portarse así de bien una próxima vez cuando se encuentre en un camino como éste.

Juan se imaginó a su lado un ángel de plumas duras, poco dispuesto a levantar vuelo por la artrosis, que peinaba sus canas abriéndolas en dos para luego trenzarlas de una manera habilidosa.

—Los ángeles también pueden ser derribados de un hondazo —contestó furioso, tratando de quitarse de encima la fantasía del ángel custodio.

Pero Elena Blanc no lo escuchó, se reía. Se reía y preguntaba cómo les había ido a los que estaban en el auto rojo, que sí era de los Sánchez, los mismos que ya bajaban las cuerdas disponiéndolas de la mejor manera para sujetar el auto descompuesto. Antes de subirse a él volvió a hacer ese gesto de tocarse la mejilla con la mano:

—Ahora va a poder disfrutar todo lo que quiera de los pájaros —y luego, no contenta con eso, en un murmullo de mucha intensidad—: No siga parado así. ¿No ve que se está pisando las alas?

Un zapato voló por el aire. Marcos se agachó justo. ¡Qué carácter!

Ahora sí que se reía, por completo desbarrancado. No seas tonto, cómo vas a confundir así las cosas, un crédulo podría tomarse a pecho unos picotazos de Pelikan. Juan, Juan. ¡No estás desahuciado!

Pero tuvo que parar. Paró cuando vio que Juan sin una pizca de comprensión para con su persona se estaba quitando el otro zapato.

Ella está muy silenciosa, no hay restos de la

corteza ni de la pulpa, ni del jugo ligeramente ácido; sólo unas pocas semillas, secas, con mucha suerte germinables. Esa manzana pudo tener su aroma, su color, su manera de balancearse entre las hojas pero ahora ya no hay forma de recordarla, se confunde con el resto de las manzanas. Un posible matiz, un destello, una curva, una aspereza reconocibles, se perdieron al cabo.

Pero ella está ahí, con las semillas entre las manos. Ha extendido en torno su vestido negro, que resalta sobre la colcha clara de la cama, los zapatos están a un costado, está descalza, sin medias, los pies pequeños, blancos.

Parece no arrepentirse de nada, los dientes gastados de triturar la manzana, las manos también de tanto fregarla para sacarle brillo y volverla deseable. ¿No hay de qué arrepentirse? Está extendida, se mira los pies, a último momento nada la obliga a revisar, a sopesar, con seguridad hay mordiscos mal dados, cierto apuro o cansancio, cierta gula o falta de deseo, no importan, a veces es el estómago el que exige, otras es otra cosa la que exige y morder es lo único que se atina a hacer, se cumple la orden a ciegas, con los dientes mal preparados, una nariz insegura, una mano que tiembla por torpeza, y el resultado es un paladar inepto, atolondrado, le falta entrenamiento, le falta sabiduría para decidir este sabor sí, este sabor no, hay zonas de la manzana muy amargas que llenan la boca de golpe, el bocado no se puede tragar, tapa la glotis, la vuelve morada, hace toser de manera lastimosa, entonces para evitar el miedo exagerado y el sudor se fabrica un pequeño espacio: que la saliva corra, el aire también, un poco, si la mandíbula queda con un resto de fuerza se la obliga a masticar a los empujones.

¡Vamos, vamos! ¿Qué es esa insolente haraganería? Pero la destreza no se consigue nunca, cuando se aprende a abrir la boca y a hincar el diente se termina, y no hay otra, no hay otra.

Ya no se mira los pies, ni nada. Ya no recuerda nada, se ha devorado la manzana, se ha devorado la historia, ha comido hasta el brote del árbol. Es mejor así. Los zapatos van a quedarse, estación tras estación, fruto tras fruto, cosecha tras cosecha, a un costado, solos. La carne está blanca, vacía, no hay oración que le devuelva color, no exuda, cada mañana, no hay recorrido que deba seguir, el vestido no tiene qué cubrir, ahora están los harapos que no dejan dudas, están para desplegar su fabuloso reino, al que hay que saludar pese a estar decapitado. La colcha, como los zapatos, se ha quedado sola, la soledad de la cama se extiende a fin de tocarla, de arrinconarla, de hacerla un bollo a los pies de la cama para que sus flecos cuelguen sobre la más negra profundidad, para encararla con la costumbre y borrarle cualquier pliegue conocido, cualquier arruga que todavía siga la curva del cuerpo y pretenda cubrirlo. Es mejor así. La carne está contagiada por fin, ha olvidado lo que tenía para llevarse a la boca. Es mejor así. Si no hay dientes ni uñas no hay que tocar nada.

IV

Faltaban solamente cinco minutos y él estaba ahí, demorado en esa esquina céntrica. No bien había terminado esa larga conversación con Ángel Martínez acerca de quiénes podrían ser elegidos esa noche como integrantes del directorio, ese trasto viejo, de travesaños mal anudados que pretendía ser una carroza, le cortó el paso.

—¡Apúrense! —dijo Marcos en el borde de la vereda.

—Si nos apuramos se nos destartala toda —contestó el que conducía el carromato. Había otros también, sosteniendo las maderas. En el piso, sobre unas tablas, unas guirnaldas se desarmaban en el viento. El calor aplastaba las flores puestas en un balde: eran iguales a las que había visto usar en el pelo, desde hacía años, a todas las mujeres para pasear por el corso.

El doctor Emilio Castello Herrera atendía con un horario rígido, en realidad estaba tan viejo que ya no atendía a casi nadie. Pero a la hora dispuesta obligaba a la mujer que lo servía a cerrar con llave la puerta.

"Es inútil, no creo que llegue", dijo Marcos y apuró el paso. Allí estaban el reloj de la torre y el bar de los hermanos Fernández, que en ese momento encendían sus luces. En el aire caluroso el cielo se disolvía con un tinte oscuro, a cambio de penumbra recibía la luz artificial que en la vereda del bar peinaba las sillas casi todas ocupadas. Demasiados vasos se enrostraban el líquido y la espuma intimaba a la risa de los clientes a bajar el tono. ¡Otra cerveza! Entre las mesas de manteles naranjas se deslizaba un olor a fiambres, a queso estacionado.

"¡Chau, Marcos!"

El saludo partió afectuoso desde una de las mesas, Marcos miró con atención pero sólo vio a unos muchachos de camisas llamativas que levantaban la mano mientras hacían correr un plato de maníes tostados.

"¡Chau!"

La voz salió por detrás de él, joven, risueña. Cuando se volvió, el muchacho, que no tenía más de veinte años, todavía con la mano en alto, prometía volver para sumarse a ellos.

El bar de los Fernández era muy grande, sus ventanas de guillotina estaban abiertas, Marcos pudo ver que no quedaba ninguna mesa adentro, todas habían sido puestas en la vereda para tentar con el placer de un cielo menos ahogado. Sin embargo él hubiera pedido una adentro, con los ventiladores del techo en funcionamiento y la penumbra cargada de olores agradables para acompañarlo. Pero nunca entraba en el bar de los Fernández, ni en ningún otro. Él no entraba en los bares. Era ocioso buscar razones, sobre todo porque no tenía ninguna. Y no es que adujera una sabia indiferencia, no, en realidad a veces ponía ahí, como ahora, una pizca de atención, pero era sólo eso, una pizca que le golpeaba el hombro azorándolo un poco. Su perpetuo destierro vacilaba frente al mostrador entrevisto: los platitos parecían conservar el concentrado aroma de los frascos acabados de abandonar, y las botellas, aunque aletargadas por el brillo del espejo, se apretaban poco sensatas, deseando que sucumbiera. Una por una el mayor de los Fernández las limpiaba con un trapo.

Cuando cruzó la calle buscando la vereda de los impares, venían otras dos carrozas ya arregladas para el corso, a los costados tenían hojas en cruz de palmera a las que habían dado pintura plateada; una contaba con una pérgola de la que pendían dos farolitos rojos.

"¡Cuidado!" El grito partió de la chica sentada bajo la pérgola. Marcos recién reparó en ella cuando gritó, tenía en el pelo las mismas flores que había visto en aquel balde, también reparó en que faltaban las cañas de bambú y los arcos con luces; nada indicaba la proximidad de un corso.

—¿Dónde es el desfile? —preguntó Marcos con una curiosidad súbita.

—En el Club Sportsman, en la cancha de fútbol.

Marcos sonrió, la chica había pronunciado mal el nombre, en el pueblo casi todos lo pronunciaban mal, además pocos sabían lo que quería decir. Le agradeció, desganado, pero cuando la cabeza de ella, salpicada de flores, ya se volvía, alcanzó a desearle:

—¡Que te diviertas! Espero que mi hijo te saque a bailar.

—Gracias, eso espero.

En la esquina previa a la casa del doctor, un grupo de mascaritas muy mal vestidas y con la cara exageradamente pintada le pidió que lo acompañara, pero él se disculpó diciendo que tenía algo serio que resolver.

—Entonces más tarde, en el corso, tiene que prometerlo.

Era una costumbre muy vieja: se invitaba a todo el mundo. Pero en la actualidad muy pocos respondían a la invitación. Le había dado mucho trabajo quitarse al grupo de encima, estaba de fiesta e insistía, quería hacerlo participar con una máscara que había perdido su color un siglo atrás. La primera bomba lo alejó.

En ningún momento miró la demolición de enfrente, pero la escuchaba paso a paso. Tocó la puerta del médico con suavidad. Los obreros todavía no se habían retirado; los golpes retumbaban en su cabeza, se prolongaban y llegaban hasta esa madriguera suya, ese escondrijo en el que se ocultaba cada vez que el exterior le daba un serio pretexto. Tengo que mantenerme al margen, se dijo, sobre todo en este momento. ¿Por qué debía sufrir también eso? Completamente blanca, la cabeza de Ana Leiva apareció en la puerta.

—Casi, casi no lo dejo entrar. Diga que el doctor lo conoce desde hace años. ¡Se ha pasado dos minutos!

También el interior de la casa de Emilio Castello Herrera había envejecido, tanto que el empapelado, la alfombra de la sala, perpleja como buena desocupada, las cortinas gruesas que se deslizaban sobre los visillos bordados, habían adquirido esa tonalidad terrosa y desvaída que confiere sin vacilación el tiempo, para colmo todo aquello ardía bajo la nariz, trastornándola. A un costado, sobre una mesita baja, Ana Leiva había puesto las tacitas para el café.

—Sin zalamerías, quiero que me diga rápido qué lo trae por aquí.

Aunque la mujer pusiera mucho cuidado, las ruedas del sillón donde el hombre abandonaba sus piernas chirriaban bastante. El doctor Castello habló durante el trayecto, sin saludos previos, antes de que Ana lo colocara junto a la ventana que daba al jardín.

—Y...

Marcos se excusó por el retardo y tomó la silla que le ofrecían. Se sentó a una distancia prudente de Castello.

—¿Todavía no ha regado con creolina? —preguntó echando su nariz al aire para sopesarlo de una manera minuciosa.

—Por supuesto que sí —contestó Ana Leiva—. Cuando abra la ventana podrá comprobarlo usted mismo.

Como si no hubiera diferencia, como si el aire no se hubiese saturado de golpe del áspero olor, apenas Ana abrió la ventana, el doctor Castello insistió:

—¿Regó?

Ana mantuvo con Marcos una mirada cómplice. Por otra parte él ya lo sabía, se lo había visto hacer muchas veces después que la hija de Castello se casara y se fuera a vivir a otro barrio, cerca del viejo club. Empezó a hacerlo cuando el reuma le enfermó los huesos. Le era imposible regar toda la larga vereda, entonces llenaba el balde con creolina, lo ponía debajo de la ventana y la abría. Por supuesto, esto lo hacía bordeando la noche, y los ojos miopes y encima viejos del doctor no alcanzaban a distinguir si la vereda estaba regada o no.

—No se preocupe, doctor Castello, yo me acabo de bañar.

—Mire, m'hijito, yo acostumbro desinfectar todos los días, espere o no espere visitas.

Inmediatamente Ana acercó la mesita baja. En el centro, sobre una carpeta de hilo oscurecida por el polvo, había un jarrón esmaltado lleno de flores secas también cubiertas de polvo. Pero las tacitas estaban impecables; habían sido colocadas sobre un mantelito de piqué blanco junto a una azucarera de plata. Con alicaído orgullo a causa del bruñido —Ana no recibiría felicitaciones por él—, la azucarera se descubrió tímidamente, pero el azúcar era de primera calidad.

—No más de una cucharadita. Eso es lo que aconsejo siempre a mis pacientes.

—No me sería difícil obedecerle si fuera su paciente. No me gusta demasiado el azúcar.

El aroma del café, el café caliente mismo pese al calor, parecía mejorar el humor de Castello, que se desabrochó el chaleco y hundió sus espaldas flacas en el respaldo del sillón.

—La clínica va a quedar muy linda —dijo mirando a través de la ventana la demolición de enfrente—. Mi yerno tiene un buen proyecto, usted sabe lo que significa un médico joven para un pueblo, siempre trae alguna novedad debajo del brazo. Nunca va a arrepentirse de haberme vendido la casa.

Marcos se había sentado de espaldas a la ventana y no volvió la cabeza, miraba las láminas enmarcadas del fondo, sobre todo una en la que se veía a un músico de otro siglo con un caramillo en la boca seguido mucho más atrás por un puñado de mendigos que recogía las monedas lanzadas desde las ventanas.

—Realmente murieron jóvenes —dijo el doctor meneando la cabeza—. Todas muertes sorpresivas.

Marcos sintió de golpe los ojos húmedos. No había escuchado, o se había negado a escuchar, la primera parte del comentario, pero no tenía dudas de a quiénes se estaba refiriendo.

—Sí, jóvenes —asintió Marcos con una voz en la que trató de que no se advirtiera ninguna señal. En ese momento hubiera tomado otro café, a lo mejor cargado de azúcar, o se hubiese apartado de Castello y caminado hasta el fondo para mirar mejor al músico del caramillo.

—Inclusive su madre... No era demasiado vieja, míreme a mí, en este momento tengo más años de los que tenía ella y, salvo las piernas, mi estado general es bueno. Creo que tengo hilo para unos cuantos años más.

Su rostro seco, con la misma parálisis de sus piernas, se iluminó, una risita corta lo sacudió por un rato.

Estaba cambiando el rumbo de su pensamiento. Había venido a pedir algo y ahora el pasado llegaba temblando contrito igual que ese olor levemente rancio que dominaba la sala. Se miró los zapatos, tenían polvo; el cuero, un poco ajado, necesitaba betún. Como un eco, como golpes que vinieran de otro ámbito que no era precisamente ese en el que trataba de asentar los pies, Marcos creía escuchar a los obreros de la demolición, aunque sabía muy bien que en ese horario ya no estaban ahí.

—¿Puedo encender la luz?

Ana tenía una voz igual a una melodía alegre, tomaba posesión de inmediato del lugar donde se hacía oír. Sin esperar respuesta prendió una lámpara de bronce adosada a una pared. La luz intensificó las sombras de los muebles recostadas sobre la alfombra.

Un poco agitado (sus manos temblaban y por esa razón las cruzó sobre las rodillas) Marcos pidió a Castello que avalara con su firma el petitorio de varios vecinos que querían organizar una cooperativa de pan. Dijo que de esa manera podrían abaratarlo y que muchos chicos del pueblo se beneficiarían, dijo esto último agregando que conocía su preocupación constante por la salud de todos y su bondad natural; mientras hablaba apartó rápidamente la mirada cuando vio aquellos ojitos mezquinos ponerse a brillar de golpe. Se sintió mal, algo pasaba en su estómago, el sudor le enfriaba los pies.

—Sí. Algo me comentaron otros pacientes. Pero para poner una cooperativa hacen falta acciones, sobre todo las acciones de los socios fundadores. Y el costo de ellas... No sé. Imagínese lo que va a ser una clínica para el pueblo, su servicio de urgencia... Yo estoy apoyando a mi yerno. En fin... que estoy poniendo todo mi dinero ahí.

Entonces Marcos le explicó que no era necesario que pusiera dinero, que los demás firmantes por supuesto se habían comprometido a comprar acciones, pero que él estaba eximido, que con su firma era suficiente, y le mostró el lugar más destacado de la página: "Especialmente reservado para la suya".

El doctor Emilio Castello Herrera pidió sus anteojos para leer, Ana lo ayudó a colocárselos. Debajo de los vidrios de aumento sus ojos eran enormes, indescifrables. Había palidecido un poco:

—Vuelvo a decir que con respecto a dinero...

Marcos se guardó de decirle (para no verle brillar los ojos de aquella manera) que aunque las acciones primeras le pertenecían, la número uno, inclusive, llevaba el nombre de su hijo, y además había hecho una donación especial, el resto de los firmantes se negaba a aportar si no aparecía la firma del doctor Emilio Castello Herrera. Los había visitado infinidad de veces, pero en ese punto habían sido indoblegables:

"La firma del doctor va a prestigiar la cooperativa". Ahora ya estaban reunidos en el "reservado" del club Sportsman confeccionando la lista para un posible directorio: el que conduciría la cooperativa cuando diera sus primeros pasos.

—Consiguieron muchas firmas —dijo el doctor Castello levantando la vista del papel después de haberlo leído dos veces.

—Muchas. Hay verdadero entusiasmo.

El gato del médico entró mencando su desconfianza, miró a Marcos como se puede mirar a un intruso que además no oculta su mezquina simpatía por los gatos, pero eso no cambió sus planes de ir a echarse cerca de Castello, sobre el alféizar de la ventana.

—Hermoso gato —dijo Marcos. Los animales le parecían hermosos siempre que estuvieran lejos.

—Es un poco dañino —dijo Castello mirándolo con orgullo, y le acarició el lomo—. Ana... alcánceme la lapicera, por favor.

Ése era el momento exacto para ponerse contento. Pero hubiese tenido que contar con una especial inocencia para pensar en que todo terminaría ahí; de todas maneras era un paso importante. ¿Quiénes serían los elegidos? Había optado por ese horario para visitar a Castello por delicadeza, su sola presencia los hubiera obligado a hacerlo formar parte del directorio porque había trabajado demasiado. "Sea cual fuere el resultado de la elección me va a dar lo mismo. Lo importante es la cooperativa", se dijo. Pero sus emociones no eran tan despojadas, solían perder el recato, el sentido del deber, y aunque le pareciera una pequeñez nada digna de los hombres respetables, ardía en deseos de que lo eligieran.

—Y... dígame qué ha hecho con esos muebles tan viejos que su madre amontonaba en la casa —dijo Castello con un desliz de burla; después de tomada la decisión y entregada la hoja con su firma, tenía deseos de conversar. El que no los tenía era Marcos, quería irse; había cedido, alabándolo, varios palmos a la hipocresía y ahora necesitaba ganar terreno limpio, le parecía difícil cuando ya una vez el diablo había conseguido ponérsele a la par.

—Los muebles tienen el destino que ella quería darles, no se preocupe. Claro que hubo gente muy torpe para apreciar el valor.

—¡Ah, sí!... Cuando mi mujer vivía se solía parar aquí mientras bajaban los muebles y decía: "¿Ves ése? Ése yo lo traería para casa".

Ana lo acompañó hasta la puerta, a pesar de los años y del reuma caminaba bastante erguida: —Ahora viven en la quinta, ¿no?, claro, si le vendió la casa al doctor... ¿Su mujer y su hijo están contentos? Bueno, después de la muerte de sus hermanos quedó toda para ustedes. ¿Ella ayuda con los espárragos? —El interés de ella era genuino, casi dulce (a lo mejor esa dulzura era efecto de la voz), pero Marcos no se lo perdonó: "Algo".

Eligió la calle de los fresnos. Era oscura, si alguien pasaba no iba a poder verle la cara, se podía ocupar tranquilamente de su estado de ánimo, que a esta altura resollaba en su madriguera: más paja, más puntiagudas las ramitas cada vez. Recordó las palabras de Ángel Martínez, tiempo atrás, cuando él le comentó su intención de vender su casa a la cooperativa. En el momento en que había dicho el precio Martínez lo había tomado del brazo y pedido que se la vendiera a él, quería mejorar el lugar de su ferretería, trasladarla al centro, aunque se tratara de la última cuadra. Después la cooperativa no terminaba de concretar lo de las acciones ni lo del directorio y le dijeron que buscara otro comprador. El precio, por supuesto, cambió. A Martínez lo tragó la tierra. Castello la compró sin hacer ninguna objeción.

"¡Al corso! ¡Al corso!"

Como en un rito pensado apresuradamente, tres mascaritas invitaban golpeando envases de lata. Vestían de negro, miraban por dos pequeñas, ridículas aberturas, de una media de muselina puesta en la cabeza.

"¡Al corso, al corso!"

Se detuvo en la iglesia, debió esquivar gente que salía charlando animadamente llevando bultos, uno abrazaba con exagerado respeto, como si se tratara de una mujer muy hermosa, una alfombra de seda blanca.

"¡Eh! Espérenme... Tengo que quitar esto".

Marcos reconoció al sacristán, que empezaba a enrollar la alfombra roja aún tendida en la nave del centro. Había empezado a los gritos cuando vio que el grupo lo abandonaba. Marcos entró pensando en las palomas que dormitaban en las ventanitas ojivales casi todas abiertas a ras de los techos, en la suciedad que habría sobre los capiteles y los bordes esculpidos de los nichos donde se apoltronaban perdida la energía los santos.

—¿Lo ayudo?

Había entrado sin ánimo de ayudar, para hacer

tiempo. Más tarde iría al reservado del club para averiguar lo que estaba ocurriendo.

Al fondo, donde la luz de unos pocos foquitos de una araña alcanzaba el altar, se veían dos canastos de anémonas adornadas con hiedra sobre un mantel blanco. A la altura de las ojivas, arrastrada por el viento, la araña central —aunque a oscuras el bronce restallaba— palidecía despertando de su desmayo al mantel, cuyas puntillas se encocoraban frente a los bruscos reflejos. El cura no estaba por ninguna parte, pero sobre una silla, dejada de cualquir manera, había ropa de ceremonia.

—¿Quién se casó?

—No sé... Tendría que fijarme en el libro.

—Pero los novios se acaban de ir.

—Sí, pero no me acuerdo.

Una vez que terminó de enrollarla el sacristán tiró la alfombra en cualquier sitio, cayó en medio de baldes con agua donde sobrenadaban algunas hojas y pétalos de rosa. Se disculpó diciendo que tenía que irse, irse volando. Sin embargo se metió en la piecita contigua que era la sacristía y al minuto apareció en la puerta con un vasito de vino y un bizcocho. Comía apurado, haciendo ruido:

—Tenía hambre. No comí en toda la tarde. ¿Quiere?

Marcos dijo que no; nunca había visto a nadie comer adentro de la iglesia. Cuando vació el vaso no volvió a la sacristía, lo abandonó en un nicho, detrás de la imagen del Bautista; sacudiéndose las migas corrió hacia la puerta.

—¿Va a dejar la araña encendida? No es la central pero... Ya hay algunos apliques.

El sacristán vaciló en medio de la nave, miró hacia afuera y luego se quedó un momento con los ojos fijos en la araña.

Su cara flaca y demacrada denotaba preocupación:

—¿Usted se va a quedar un rato? Si me hace el favor... Cuando vuelvo apago todo. Se casa Dolores, la hija de Carlos Pellitieri, estuve en la capilla de la casa acomodándole las rosas. Volví para ayudar al padre y pedirle que no se demorara, parece que soy el único que se preocupa. Ni la alfombra me sacaron. Se fueron todos para allá, a dar los últimos retoques.

—Los vi —dijo Marcos, recordando el viejo temor que le producía la iglesia vacía; se asombró porque era un recuerdo que se remontaba a la época de la escuela primaria, cuando la abuela le pedía que a la salida de clase se cruzara y la esperara ahí, le pedía que se sentara cerca del altar, le indicaba el extremo izquierdo del segundo banco porque desde ahí se veían perfectamente los ángeles, se veían las dulces expresiones, las túnicas rosadas salpicadas de oro. Todos ángeles de yeso.

—Se fueron todos —el sacristán meneó la cabeza, era muy franco en su molestia, a Marcos le pareció escucharlo murmurar palabras poco santas.

—¿Siempre vienen tantos a ayudar?

—¡Noo! Muchas veces estamos únicamente el padre y yo.

Hablaba y retrocedía hacia la puerta, balanceaba los brazos y sus pasos sonoros, cortos y muy rápidos, retumbaban entre las naves. Hizo un último examen hacia los costados, a un paso del atrio, y ya no se lo volvió a ver.

"¡Es carnaval! ¡Es carnaval!"

Transcurridos unos segundos volvió a escucharse:

"¡Es carnaval! ¡Es carnaval!"

Las voces sin convicción, sin aquella alegría realmente infantil que él había conocido, cruzaron las ventanitas ojivales. Era evidente que no eran muchos los que gritaban, más bien los gritos parecían pertenecer a dos o tres mascaritas extraviadas que venían a buscar refugio en la luz de los muros. Marcos pensó en Carlos Pellitieri, recordó su capa y su corona aquella vez que había ocupado el lugar del Mudo, en la carroza llena de luces, la más grande del corso.

"Chuic, chuic."

¿Eran ratones o cuchicheos de paloma? Una vez solo, acomodada mejor la alfombra y puestos en el cesto los restos de rosas, recogido en su asiento, los ruidos se hicieron más patentes. No se podía ni sospechar que se tratara de miedo verdadero, eso hubiera sido simple, exageradamente simple, era volver atrás, poner en marcha aquella oscuridad del pasado por lo que irradiaba, buscaba con ahínco porque creía que en ella hubo razones más inofensivas para el miedo. No era una broma, a pesar de la calma exterior (salvo las mascaritas) no le convenía cruzar la puerta. ¿O sí?

"¡Es carnaval! ¡Es carnaval!"

Las mascaritas entraron en la iglesia, eran más de las que había imaginado, también éstas estaban vestidas de negro, lo único blanco era el cuello, de volados de papel, muy fruncidos, y sobre él la cara pintada de negro. Lamiendo con descaro el aire, las velas que portaban se agitaban bajo la arcada de la puerta. Se sentaron ahí mismo, en círculo, y cantaron un salmo. Una de ellas, cuando descubrió a Marcos, obligó al resto a dejar de cantar y le hizo señas. No se atrevió a llamarlo en voz alta, no se atrevió, tampoco quiso que lo hicieran las demás, se contentaba con hacerle señas amigables: agitaba una mano dos o tres veces, la escondía a la espalda y luego la volvía a sacar para agitarla nuevamente.

—¡Fuera! ¡Fuera!

Era el sacristán. Las espantaba con la escoba. Su cara pálida era sacudida una y otra vez por la intensidad del enojo. No conseguía golpear a nadie. Las mascaritas se reían y lo esquivaban, de todas maneras reían suavemente, persignándose cuando los escobazos las obligaban a cruzar la nave que conducía al altar grande. Una de ellas se había arremangado el traje y con sus piernas musculosas saltaba por sobre los bancos.

—¿Qué hace? ¿Por qué está tan enojado? Parece creer que aquí ha entrado el mismísimo diablo. Supongo que si el cura llega en este momento no le va a gustar nada.

—Usted no se meta —dijo el sacristán, cortante, como si se hubiera olvidado de que le había pedido un favor momentos antes.

—¿Por qué no me voy a meter? Me gusta meterme donde me importa.

Hubo aplausos. Las mascaritas no hablaban pero aplaudían, seguían los movimientos de Marcos tratando de alinearse a sus espaldas y descifrar sus pensamientos. Pero cuando alguna se acercaba de tal manera que acortaba el espacio que el sacristán juzgaba prudente, volvían los escobazos.

—Salgo por unos minutos y cuando vuelvo me encuentro con la iglesia en estas condiciones. Menos mal que el padre me mandó a buscar su estola, si demoro más, cuando llego aquí encuentro un desastre.

Una paloma asustada por los gritos del sacristán perdió pie y cayó desde una de las ventanas, en el aire su cuerpo aleteó torpemente; planeando mal, malogrando plumas, llegó a uno de los bancos por donde había saltado la mascarita dejando su polvo oscuro.

—¡Faltaba esto! —enardecido, el sacristán revoleó la escoba. La paloma se agitó más y se ensució con polvo. Aparte del pico, las patas y uno de los flancos, el resto daba lástima, sus ojos apenas resaltaban entre lo oscuro. Pese al miedo no dejaba de mirar al sacristán con cierto desafío en el pico desencajado.

—Si no se calma, puede caerse otra —le advirtió Marcos—. No se ve muy bien desde aquí, pero se me ocurre que hay muchas.

—No hay muchas, las tengo bastante a raya.

Las mascaritas desaprobaron; Marcos interpretó, por los gestos, que en adelante ellas vendrían personalmente a controlar el trato con las palomas, que harían con gusto el recorrido aunque tuvieran que atravesar el pueblo; parecían muy jóvenes, cuando se alcanzaba a ver algún tobillo se lo descubría delgado, flexible, favorecido por el color suave de la piel que palpitaba contra la orla negra del traje.

—Vámonos —dijo contemporizador Marcos.

Llevándose en brazos a la paloma, el grupo empezó a salir obedeciendo a Marcos. El sacristán se puso a barrer disimuladamente, pero apenas la última mascarita salió por la puerta, se escuchó el golpe seco de la escoba contra el piso y su corrida en busca de la estola.

En la calle las mascaritas se olvidaron de él, incluso soltaron la paloma. Marcos no tenía un andar natural, le pesaban los pies, su cabeza parecía no estar en el sitio de costumbre. Quiso volver a aquella casa. En lo del doctor Castello, de espaldas a la ventana, escuchó la piqueta, uno a uno los ladrillos serían amontonados en el patio. Aunque se había alejado bastante todavía seguía sintiendo el perfume de la plaza, había visto los pinos, los más altos, y el arengador de solapas sedosas apareció de golpe. "¡Oiga, jovencito!", y la famosa cita a la que lo iban a acompañar sus dos hermanos. Ya no quedaba nada de Nino. Ni de Juan, ni de Simón. Tampoco del Mudo. No era malo andar por ahí, buscando la oscuridad de la calle, orientándose por el perfume de la plaza y por la sospecha de presencias que le estaban haciendo un favor.

¡Bum! ¡Bum! ¡Bum!

Las bombas del corso. Habría pocas carrozas seguramente. No podría esperarse otra cosa. Salvo esos dos o tres carros destartalados no había visto nada que fuera hacia Sportsman. Pero las caricias furtivas, el amor debajo de los árboles, los cuerpos tan juntos que estaban a un paso, ocultándose de la luz curiosa de la calle, lo empujaron a una felicidad prestada, una felicidad muy débil pero a la que sentía muy oportuna. ¡Bum! ¡Bum! Las bombas seguían. Había un corso. Volvía por donde había venido y ahora esa felicidad extraña, verdaderamente lastimosa, lo acompañaba.

¡Pum! ¡Pum!

Golpeó dos veces.

¡Pum! ¡Pum! ¡Pum!

Golpeó tres veces más.

No golpeaba la oscuridad. Había visto una luz.

—¿Quién es? —la voz vino desde adentro, poco dispuesta, atravesando los agujeros de la chapa que ahora ocupaba el lugar de la puerta.

—Vi luz. Soy el antiguo dueño.

—¿Qué quiere? No hay nadie. Yo cuido aquí.

Dudaba de si las paredes de estuco habían estado ahí, la suave brillantez aquella, la luz del centro, las menos importantes con sus pantallas de caireles verdes, y después el zaguán, el vestíbulo, y los otros cuartos y todos los muebles aquellos. No podía ver nada, todo estaba vacío, perfectamente vacío.

—Necesito entrar. El doctor Castello me ha encargado algo.

—¿A esta hora?

El cuidador quitó el candado y retiró la chapa. Primero aparecieron sus bigotes, tupidos, grises, con polvo de la demolición, después sus ojos con las pestañas y las cejas con el mismo polvo. La linterna le temblaba un poco en la mano. Bostezó: "Me acuesto temprano. No hay luz aquí".

Marcos entró, se orientaba mejor con la luz que venía de la calle que con la de la linterna. Grandes partes del techo ya habían sido demolidas, pero la mampara permanecía, con los vidrios increíblemente sanos, el olor de los muebles también, y no era un recuerdo.

—Todavía algunas cosas siguen en pie.

—Y sí... Esto es grande. Lleva su tiempo.

Aquella piecita estaba, habían volado las escaleras, pero la piecita estaba. La ventanita también, pero por ella ya no se veía nada. Por una escalera de madera, debajo de la cual habían colocado una buena pila de ladrillos, se podía llegar hasta allí. El cuidador alumbró a Marcos, le llamaba la atención el interés con que miraba todo.

—Milagrosamente esa piecita está intacta.

—Les pedí que la dejaran para el final. Tengo unas ponedoras.

—¿Gallinas?

—Son muy ponedoras. Me rebusco con los huevos, pagan muy poco aquí.

—¿Puedo subir?

—Pero ahí no va a encontrar lo que busca, están las gallinas solamente.

Marcos subió. El cuidador lo alumbraba desde abajo. Contra la pared, su sombra se estremecía. Había polvo rojo por todas partes, también en los peldaños de la escalera; Marcos pensó en cómo le quedarían los zapatos. No quería pensar en otra cosa más que en sus zapatos. A las manos sudadas se les pegaba el polvo. Hizo un mal movimiento y la escalera se corrió, algunos ladrillos flojos cedieron, por un agujero de la pared apareció el fino chirrido de la arena.

—¡Epa! No se caiga. Tenga cuidado.

—Espero que las gallinas no se asusten. No quiero que armen escándalo.

—Si no hace mucho ruido no va a pasar nada.

Se tomó de los bordes del marco. "¿Puedo entrar?", había dicho ella tantas veces. Nunca se quedaba satisfecha con las explicaciones si se les ocurría decirle que no, que no era el momento apropiado. A cada explicación correspondía una mirada de duda de ella, un temor a ser dejada afuera, un ruego. Lo mejor era escuchar sus pasos y su risa, el roce de los pliegues de sus polleras negras, acercándose, subiendo por la escalera.

—¿Alcanza a ver algo?

La preocupación del cuidador se basaba estrictamente en su deseo de abandonarlo. Tenía que preparar sus cosas para irse a dormir. No era posible estarse quieto, demorado, todo el tiempo con la linterna en la mano. Pero la linterna ya no tenía sentido. También seguía en su lugar la banderola, la luz de la calle llegaba amortiguada por los árboles, ahora tan grandes, pero llegaba.

Cocorococ, coc, coc.

Sin abandonar los nidos y de una forma nada alarmante, las gallinas protestaron un poco. Sus cuellos parecían hacer reverencias muy rápidas a aquel que de ninguna manera era tomado como un usurpador, como alguien que se sintiera con derecho a instalarse allí y mirarlas. Tampoco para Marcos las gallinas estaban fuera de lugar, le parecía que ése era su sitio natural, que los cajones con paja adosados a las paredes y el comedero con cubierta de alambre del piso habían estado siempre. No. Nada en absoluto de recuerdos. Eso ni se lo planteaba; la ignorancia: la mente de brazos caídos, vacía debido a una rápidamente inventada negligencia, después de haber subido por la escalera, de haber trastabillado y haber ensuciado sus manos en el polvo, venía sin que él diera su opinión, no quería dar opinión.

La ignorancia decía que los hermanos, el Mudo, los estantes con libros, las fotografías, el escritorio de la pata floja, la lámpara, las hojas en el estuche del violoncelo, la madre con la sonrisa que aprobaba o desaprobaba, jamás habían estado ahí.

—¿Quiere la linterna?

—No. Vaya a hacer sus cosas. Yo me arreglo. Con la luz que entra por la banderola es suficiente.

Marcos se sentó en el piso, sus pies esquivaron el comedero, las gallinas parecían haberlo aceptado; por un momento el roce de la carpeta que contenía la firma del doctor Castello le hizo pensar en sus viejos papeles. Sintió gratitud por el roce; pero aquellos papeles que le hubiera gustado acariciar habían desaparecido.

Coc, coc, coc.

Entonces algunas no lo aceptaban del todo. Sin embargo metió la mano dentro de un nido, buscó el vientre caliente atento a cualquier suave impacto de la gallina, fue más abajo, cerca de la dureza de las patas encogidas, y ahí estaba.

"¿Te lo hago con Marsala?"

Ella preguntaba lo mismo, aunque supiera que él iba a decir que no, que con Marsala no le gustaba, que lo quería con mucho azúcar y bien batido. Todos los días, la yema. Era tan flaco, tan flaco. El huevo tenía que ser fresco. "Mejora la sangre", decía.

¡Bum, bum, bum! Las bombas del corso.

El huevo pareció estremecerse. Las gallinas no. El huevo resplandecía en la mano de Marcos, ligado a sus dedos, imposible moverlo, volverlo al sitio caliente debajo de la gallina, el nido era ahora otro aunque la mano de Marcos no se diera mucha cuenta, la mano abandonada a dar calor, a ahuecarse para que el cuerpo del huevo se recostara.

—¿Encontró lo que buscaba?

Sonó tan inoportuna la voz que Marcos casi estrella el huevo contra el piso y fue tan brusca su manera de volverlo al nido que la gallina le dio un picotazo.

—¿Me puede alumbrar la escalera por un momento?

Una vez junto al cuidador se sacudió el polvo, los ojos del hombre ya no lo miraban tan perplejos. En la penumbra luminosa provocada por la linterna su mano tendida le pareció menos esquiva.

Mientras el cuidador corría la chapa de la puerta para que saliera, volvió rápidamente la cabeza, por detrás de los vidrios de la mampara alcanzó a ver la silueta de los árboles del patio que se excusaban bajo la luna, se excusaban torpemente, apoyando unas contra las otras sus grandes copas viejas.

La última vez que había estado ahí, había evitado mirarlo. ¿Quién se solaza con un romántico desconsiderado, insólito por su anterior sentido práctico, ahora hecho un amante terquísimo? Ése era hoy Andrés Serrano. Pegado al mostrador estrafalario del quiosco, envuelto en ese aire inútil provocado por su expresión fija, Serrano ya no atendía a nadie. El hijo lo sentaba ahí, por la mañana, apenas abría la tienda, y lo retiraba por la tarde, muy tarde, cuando cerraba. Hasta el almuerzo le llevaba ahí, desde la vereda se podía escuchar el ruido de los cubiertos sobre el mostrador de vidrio y alambre, era un sonido torpe, discontinuo, nunca se podía prever el próximo bocado.

—¿Cómo está, Serrano?

Serrano no contestó.

—Quiero comprar un pañuelo. No veo a Antonio.

Nada. No había perdido el habla; cuando el hijo se ausentaba de la tienda, al poco rato empezaba a los gritos: ¡Antonio! ¡Antonio! Antonio estaba demorado en el fondo, haciendo girar un exhibidor de cinturones para recontarlos: "¡Ya va!", le había contestado a Marcos cuando lo llamó por segunda vez.

—No te apures. Yo voy mirando por mi cuenta.

Marcos destapó una caja con pañuelos; mientras buscaba no podía dejar de vigilar a Serrano, sus ojos no estaban muertos, instintivamente miraban la calle, seguro buscarían el "Central Hornero", el ómnibus amarillo que un día le llevó a Marisa, se la llevó con la boa puesta, un poco gorda, un poco ajada. Se iba para ajustar cuentas, había dicho. No quería pudrirse adentro de la tienda. Cada vez que pasa el "Central Hornero" Serrano parece que va a pararse, va a seguir el polvo sosegado que levantan las ruedas cuando aminora la marcha, cuando pasa por enfrente de la tienda y luego dobla la esquina para buscar la ruta treinta.

—Aquí yo ya no sé dónde están las cosas. Es un milagro que haya encontrado los pañuelos.

—Debe haber venido mucha gente hoy.

—¿Gente? ¡Cada vez menos! Y los que entran revuelven y compran poco y nada.

Andrés Serrano bostezó con un ruido a tren a vapor fatigado, los vidrios flojos del mostrador del quiosco parecieron vibrar un poco. Su bocaza intentó arrancar desde el fondo un resoplido doloroso, algo que le aliviara lo que había hundido más adentro.

—Va a echarse una siestita —dijo riendo apenas Antonio Serrano.

—¿Una siestita? ¿No es tarde para siestas? Ya es hora de cerrar.

—En fin, siestita es un decir, siempre se hace un sueño antes de que yo cierre.

Por la puerta de acceso a la casa llegaba un perfume a hogar, a comida que se calienta al fuego, imposible imaginar a Marisa Serrano ahí, abanicándose con desidia entre el olor a salsa y condimentos. Sus uñas exageradamente largas, exageradamente pintadas, desenredarían la boa apelmazada que le atraparía el cuello. Hechos de retazos, de mascaritas, de polvo, de violín que suena en los atardeceres, de cajas rotas, de tienda atiborrada, sus recuerdos estarían en el humo de su boquilla larga, prendida a su boca irremediablemente marchita aunque todavía Serrano la soñara y sufriera.

—Papá, dice mamá que ya tiene la comida lista —el chico, con los mismos ojos resueltos de su abuela, transmitió la orden que venía de la cocina.

—Decile a mamá que espere, todavía voy a demorarme un poco.

—No creo que venga más gente, el corso ya empezó. ¿No escuchaste las bombas?

—Bueno... Dentro de un rato voy.

—¿Se enteraron de la novedad?

Una mascarita oscura, con los párpados y las ojeras con polvo plateado, metió la cabeza dentro del quiosco, torpemente los flecos de su cabeza rozaron las golosinas envueltas.

¡Shsss! ¡Shsss!

Sorprendió a todos el extraño silbido de Andrés

Serrano. Agitando su paleta de espantar moscas, Serrano se encaraba con la mascarita despierto por completo, lo que resultaba patético era el sudor gris que le hacía brillar el vello de su papada sacudida en la emergencia.

—No te asustes, abuelo, es una mascarita.

—Claro que no, no hay que asustarse —dijo la mascarita y, para corroborar que no había peligro alguno con los flecos negros de su cabeza, la metió más aún adentro del quiosco y la agitó como si se debatiera. Fresca, blanda, su risa pareció tranquilizar a Andrés Serrano.

—¿Cuál era la novedad? —preguntó Antonio envolviendo desprolijamente el pañuelo que había elegido Marcos.

—¡Es increíble! Nunca antes se vio algo así —y se detuvo para mirar con atención el efecto que iban produciendo sus palabras. Parpadeaba seguido, el polvo plateado parecía pesarle. Por su boca pintada pasó una corriente de sorna—. Nadie entiende lo que dice porque habla otro idioma, pero está ahí y ¡chito la boca!... ¡Es increíble!

Y después explicó que a ese rey Momo tan particular lo habían traído de afuera, que era completamente mecánico, de una altura descomunal, y que articulaba la boca para dar la sensación de que decía realmente las palabras de las grabaciones que le habían colocado adentro.

¡Plaf! ¡Plaf!

Aplaudió Andrés Serrano.

¡Plaf! ¡Plaf! ¡Plaf!

Volvió a aplaudir.

A la deriva al principio pero muy bien dirigidos

después, los aplausos de Andrés Serrano eran destinados a la mascarita que imitaba al rey Momo y su manera de saludar. Dominado por una emoción excesiva, sin poder rechazarla aunque lo intentara (de golpe apretaba de tal manera los puños que los había vuelto blancos), hacía ademanes exagerados indicando que todos estaban locos.

—Yo tengo una manera de tranquilizarlo —dijo Antonio, y se fue rápidamente hacia el fondo. Los otros, impresionados por esa seguridad, se quedaron esperando.

Afuera, la oscuridad se interrumpía por las luces de bengala lanzadas desde Sportsman, no eran muchas, pero sus cascadas multicolores, su velocidad, su manera de desplegarse, decoraban agradablemente el cielo. Sin embargo la mascarita se reía de esas intentonas. Cada vez que el fulgor rosado aparecía ella señalaba más arriba, señalaba el sitio sosegado de las estrellas y aseguraba que todos usaban visera. A causa de ello las estrellas realmente cenicientas se aplicaban a aceptar, no sin desdén, aquel ostracismo al que se veían empujadas.

—¡La comida!... —la voz vino desde adentro, urgente, acicateada por el deseo de resolver una situación enojosa.

—¡Sacala del fuego! Ahora sí que me voy a demorar... —ni siquiera se acercó a la puerta de acceso a la casa, Antonio Serrano gritó desde el fondo sin dejar de revolver entre las cajas; como el polvo lo obligó a toser varias veces, se lo escuchaba quejarse. Al fin un gruñido de aprobación dio a entender que había dado con lo que buscaba.

—¡Cierre, por favor!... Marcos.

Había tanta alegría en su voz y tanta congoja que Marcos cerró de inmediato. La mascarita, previendo que algo fuera de lo habitual iba a suceder, quiso quedarse; primero se sentó en un rincón, pero después cambió de sitio, luego volvió a cambiar abriéndose paso con sus brazos repletos de abalorios rotos asimilables a serpientes encantadas prematuramente marchitas: el tintineo molestaba en la tienda.

—¡Silencio! Quédese quieto, por favor —dijo Serrano padre.

Marcos tampoco podía creerlo. Reducido como estaba a un letargo perpetuo, a ser poco menos que una hoja seca, que ahora Andrés Serrano hablara así, con esa exasperación que apenas le cabía en la boca, era realmente extraordinario.

—Tuve ganas. No sé... Tuve ganas.

La voz de Antonio Serrano se pegaba al estuche como un abrazo. El polvo le había ensuciado la ropa, la cara, las manos. Sus ojos, límpidos, resplandecían, volvían a tener el color adolescente aquel que lo había hecho volar por las calles del corso.

Su música seguía siendo maravillosa.

Hecha un ovillo, una cáscara arrastrada por la melodía, la mascarita extendía sus ojos por la tienda, que había perdido su aspecto de tienda. Secándose las manos en el delantal, la mujer de Antonio había aparecido; parada muy cerca de Andrés y de su hijo, su urgencia retrocedía, se hacía nada entre las vibraciones del violín que cada vez se acomodaba mejor a la acogida perfecta de Antonio. En las estanterías, en los exhibidores, en las cajas y el mostrador, se perdía el sentido único que se le había adjudicado a cada cosa. Otras razones aparecían, y nadie las resistía, aunque no las comprendieran del todo.

Por primera vez en el día Marcos respiró con alivio, por primera vez la firma del doctor Emilio Castello Herrera no le pesó en el bolsillo. Caminando por esa calle que conducía directamente a Sportsman pensó en que quería estar allá, en la galería llena de plantas, al lado de su mujer, que acariciaría a la gata escuchando el rumor del agua a los saltos por los surcos abiertos entre los espárragos.

—¿Vamos al corso?

Con desparpajo, la mascarita lo invitó, no era desagradable: la cara velada con un tul negro, debajo, los ojos grandes, las pestañas trémulas; su excesiva vaguedad (cada curva de su cara parecía a punto de evaporarse) hacía difícil determinar a qué sexo pertenecía. Al principio Marcos se sintió incómodo porque en la calle no había otra mascarita más que ésa y por las veredas casi nadie salvo un viejo en su sillón hamaca que tomaba fresco, después no.

—Generalmente las mascaritas buscan la compañía de otra mascarita —dijo Marcos.

—Puedo no ser igual a las otras mascaritas, o pude haberme confundido y pensar que usted era también otra mascarita.

Sus manos eran delicadas, pero de una delicadeza que no parecía legítima. El más leve traspié podría destruirla. A lo mejor la fuerza que quería disimular no tenía ninguna causa. Sin que por su corazón pasara nada, ni compasión, ni estima, básicamente por un deseo de averiguar, Marcos le preguntó el porqué de ese vagabundeo lejos del corso.

—¿De verdad usted quiere ir al corso? —preguntó burlona y se alejó muy rápido.

Perplejo, enojado consigo mismo por haberla dejado ir, Marcos invitó al viejo con el mismo desparpajo que había tenido la mascarita desconcertante. El viejo miraba a la mascarita alejarse, las luces de Sportsman, las de las torres que alumbraban el corso, el balanceo flexible de los árboles en el viento de la noche.

—¿Vamos al corso? —no tenía deseos de estar con el viejo y sin embargo lo había invitado. Lo mismo debió pasarle a la mascarita momentos antes.

—¿Qué dice? —le preguntó el viejo llevándose una mano a la oreja.

—Lo estoy invitando al corso.

El viejo farfulló algo y Marcos se inclinó para escuchar mejor. Se agachó rozando el sillón, hasta escuchó el crujido de sus patas de madera, el hálito de la respiración fatigosa del viejo le alcanzaba la cara. Estuvo tentado de llevarse la mano a la oreja; la piedad por sí mismo lo paralizó.

—Ya no estoy para corsos. —Eso último del viejo lo escuchó bien. Un auto pasó por la calle tocando bocina, los que iban adentro lo saludaron efusivamente, iban, como él, en dirección a Sportsman, buscaban solidarios, alguien que, como ellos, quisiera participar. Unos metros más adelante detuvieron el coche:

—¿Lo llevamos?

Marcos volvió a reiterarle la invitación al viejo:
—Ahora hay un auto que puede llevarnos.

Pero el viejo cerró la boca y miró en dirección contraria al corso. Había decidido no contestar; canturreaba algo sin sentido, se interrumpía cada dos palabras y volvía a comenzar. La sombra de los árboles le oscurecía la voz.

Bajo la lamparita de la calle, la bocina llamó dos veces:

—¡Vamos!

—¡Voy!

Fue lo primero que vio apenas ingresó en el club. A la vanguardia de todas las demás la carroza del Momo se movía con aire de realeza, parecía saber bien lo que quería pese a sus movimientos mecánicos. A cierta altura del paseo se detenía para lanzar luces muy llamativas y abrir la boca y cantar o decir un discurso (eso no estaba muy claro) en un idioma extranjero. Pero el cortejo daba compasión: pobrísimo, con cuatro o cinco carrozas que se desesperaban por alinearse luchando con los caballos asustados debido a las modulaciones del Momo. Daba gracia, tal cual, daba gracia: el rey regio que articulaba el brazo cada cinco minutos exactos, de un verde inaccesible los vestidos largos (casi no se veían los pies), y las otras carrozas que se arrastraban detrás haciendo tambalear sin piedad a las pocas mascaritas que quedaban sentadas.

Después de un rato Marcos se quiso encaminar hacia el reservado pero un sonido extraño lo detuvo, un sonido como de río que crece, turbulento, muy alto. Todos tardaron en darse cuenta de que era el rey Momo porque los altoparlantes hacían música y en la confusión era imposible discernir cada ruido. Algunos decían que lo que hacía el Momo era extraordinario y aplaudían e invitaban a los otros a aplaudir, pero las mascaritas de las carrozas se tapaban los oídos, los ojos agrandados por la molestia, las manos temblorosas, como heridas.

—¡Está atascado! ¿Cómo no se dan cuenta?

Ángel Martínez venía corriendo, abriéndose paso entre la gente a los codazos, pero exageraba porque en realidad no había tanta gente. Traía lo necesario: unas pinzas especiales de las cuales no se había separado en ningún momento mientras estuvo en el reservado.

Tomaba la molestia de las mascaritas como algo personal. Aquellos padecimientos podrían ser falsos, decía. Pero cuando entró en el circuito de las carrozas, cruzó los brazos por sobre su cabeza "para mostrarles qué tipo de pinzas se necesitan", decía con toda su voz, pero en realidad se tapaba los oídos muy bien.

"¡No las sabe usar! ¡No las sabe usar!"

De arranque dio la impresión de que no. La gente había salido de la cancha de fútbol donde se realizaba el corso para ponerse a salvo del ruido y gritar a su antojo. Detrás de las alambradas, bajo la oscuridad de los árboles, realmente fuera de la luz que cegaba, la escena del Momo y las carrozas no les causaba gracia. Desde este nuevo sitio la mirada les decía otra cosa. Al principio pareció que no, que Ángel Martínez no sabía usarlas, pero al final sí supo. "¡Que no las use! ¡Que no las use!" Pero él no hacía caso a los gritos y pedidos de los demás.

—¡Listo! —anunció Martínez con la voz bañada por el sudor. El Momo volvió a cantar o a decir un discurso, no se sabía muy bien, y a saludar cada cinco minutos exactos. "Pero exactos", reía con aprobación Ángel Martínez: "¡Marcos!", lo llamó. "¡Vení! Acompañame a tomar una cerveza".

También comía maní. Marcos no comía ni tomaba

nada, sentado en la punta de la silla seguía con el dedo el surco de un nombre tallado en la mesa. Pensaba en la cooperativa de pan, en la firma de Emilio Castello, en la reunión que parecía no haber terminado. Prisionero en la silla. Un prisionero absurdo, se decía, porque podría muy bien no estar ahí; miraba el reservado del club, miraba las ventanas iluminadas y la puerta que seguía sin abrirse.

—Traje la firma de Castello.

—¿La del doctor Emilio Castello Herrera?

—¿Querés un gong? Te lo traigo y lo anunciás.

—¡Cómo no me lo dijiste antes!

Marcos bajó los ojos. Debía encontrar la risa en alguna parte. Respiró hondo, como si más aire pudiera ayudarlo; al fin la encontró:

—Ja, ja. No creí que había puesto un huevo. De todas maneras el pan no lleva huevo, con la harina es suficiente.

Ángel Martínez apuró la cerveza, su labio superior estaba manchado de espuma, el vaso húmedo le había mojado la mano, antes de tendérsela se la secó en el pantalón:

—¿Me das la hoja? Esto los va a poner locos de contento.

Se alejó unos pasos. Debajo de un brazo las pinzas; en la otra mano, que libraba una batalla para mantenerla erguida, la hoja. Volvió la cabeza, apenas:

—Están escribiendo los nombres en un pizarrón, así la gente ya va sabiendo. ¡Hay nombres de primera! —dio dos pasos más, siempre con la cabeza apenas vuelta—. ¡A mí me eligieron!...

Marcos no lo miró perderse entre la gente (se perdía a gran velocidad poniendo toda su imaginación en huir de la mejor manera), no lo miró cuando la hoja que llevaba desplegada era poco más que nada bajo las luces, tampoco lo miró cuando abrió la puerta del reservado y la cerró tras de sí como si escapara del diablo, siguió acariciando el nombre tallado de la mesa, metía el dedo en la primera letra y luego recorría las otras, todas muy maltratadas, tenía dudas con respecto a cuál era el nombre escrito en realidad.

—¿Vamos a dar una vuelta entre las mascaritas? —lo estaba invitando otra mascarita; llevaba una flor fresca en el pelo, y eso le gustó. Se inclinaba sonriente, su sonrisa no se desfiguraba. Marcos no tenía deseos pero la siguió. Alrededor de la cancha de fútbol había quienes seguían el corso con hosquedad; aunque el atascamiento del Momo estuviera resuelto lo miraban con desconfianza. Otros no; pero en general había muy pocos aplausos y mucho menos serpentina y papel picado. Por el medio de la cancha una murga particular con maracas en las manos, en los tobillos pulseras de trapos desflecados y alas de papel pegadas a la espalda, se adelantaba en zig zag mientras otro disfrazado iba detrás con un clarinete. Cada vez que lo hacía sonar la murga simulaba levantar vuelo moviendo las maracas; pero eran tan torpes, tan de pésimo gusto sus movimientos, copiados a alguna burda compañía de cómicos que habrían visto alguna vez; la mayoría de la gente simulaba entretenerse, pero se advertía que era muy otra cosa lo que le habría causado diversión.

—No la mire. No vale la pena —dijo Marcos.

—Es lo único que hay —contestó la mascarita enfurruñada, comiéndose las uñas.

—No hay por qué estar aquí.

—Sí, señor, hay que participar —la mascarita era muy joven, pero dos líneas profundas se le habían marcado en la frente, su gesto de preocupación volvió a Marcos más indulgente:

—Está bien, demos una vuelta. A lo mejor, en alguna carroza encontramos algo interesante.

—¡Uf! Son tan pocas.

Lo mismo dieron la vuelta. Esquivaban al Momo, que seguía moviendo la cabeza y los brazos desde su altura desmesurada. Las otras carrozas habían apagado la mayoría de los farolitos para economizar, apretaban el círculo que describían, oscuras, errantes, probaban distintos recorridos por los cuatro rincones de la cancha tratando de no prestar demasiada atención al Momo, en cuyo perímetro amplio, despejado, y al parecer definitivo, nadie se atrevía a interferir.

Para colmo las mascaritas de las carrozas, quietas, con las manos dispuestas a quedarse sobre la falda pese a los instrumentos dejados por ahí, no hacían más que quejarse y mostrar sus ojos atormentados por las luces fosforescentes que provenían del rey.

—¡Hagan música! ¡Hagan música! —exigió la mascarita con la flor fresca en el pelo y las líneas de la frente menos profundas.

Algo de música se armó, las carrozas se apretaron aun más escoltadas por las personas que empezaron a interesarse, poco a poco el número fue en aumento, hasta las que se mantenían más allá de los límites de la cancha iban ingresando. Al principio les costó, muchas mascaritas no querían saber nada, pero después la música empezó a salir mejor y conseguían aplausos. Marcos aplaudía también. Aplaudió hasta que vio salir a los de la cooperativa:

"¡Tenemos cooperativa de pan! ¡Tenemos cooperativa!"

El grupo era numeroso. Los más entusiastas se habían quitado la camisa para agitarla en el aire, también enarbolaban el pizarrón con los nombres del directorio. A cada momento los nombres escritos con tiza eran remarcados aunque no hiciera falta. Una alegría precisa se hacía presente en los gritos, en los gestos de todos, la botella de cerveza que se pasaba parecía no acabarse.

"¡Tenemos cooperativa!"

Ángel Martínez iba al frente, lideraba, parecía elegir, pese a la rapidez de la marcha, por dónde desplazarse. No evitaba rodear al Momo ni acercarse a las otras carrozas, pero siempre a prudente distancia; daba la sensación de que lo que no quería era ir a compartir la música con las máscaras. Al menos eso era lo que pensaba Marcos mientras lo veía correr, evitaba cuidadosamente el pizarrón con la lista de nombres por el sentimiento que le despertaba. "¿Quiere un poco de agua?" "¿Y si vamos a escuchar aquel acordeón?" Marcos se ocupaba de otra cosa. Proponía algo a la mascarita y luego hacía cambios casi de inmediato, en realidad no conseguía prestarle verdadera atención.

"Viva el directorio."

Era innecesario pero se enfrentaron. Martínez miró lejos, un punto por detrás de la cabeza de Marcos. Los otros no; pero había ciertas sonrisas vagas, alguien que quería retroceder, la inquietud de repente, inexplicable. Los que llevaban en alto el pizarrón lo hicieron desaparecer, se volcó por el suelo la cajita con tizas. Pese a la fuerte luz de las torres, las cabezas se enredaron confusas. Fue un momento, nada más; después el pizarrón volvió a aparecer, también la cajita con tizas, el grupo se rearmó bajo la eficaz dirección de Ángel Martínez, que sonreía a Marcos; Marcos también le sonreía, le sonrió a él y luego le sonrió a cada uno de los flamantes miembros del directorio, y le hizo además una leve inclinación de cabeza. Pero el vigor de sus piernas no era para nada el mismo; aun así caminaba.

En la puerta del club se veía brillar intensamente las luces del reservado, tal cual como estaban al principio. El hijo de Marcos ingresaba en ese momento:

—¡Papá! —bruscamente sus ojos se alarmaron—. ¿Qué te pasa?... ¿Estás enfermo?

Marcos se excusaba, pero no conseguía encontrar frases tranquilizadoras.

—Te acompaño a casa.

La proposición, seguida de un fondo de música de mascaritas, más alta, más armoniosa ahora, le dio en la cara. Esta vez el tono de Marcos fue muy firme, hablaba bajo una tensión particular:

—Tenés que quedarte en el corso.

—No te preocupes, te acompaño y vuelvo. Ese asunto tuyo también es mío... Pero vuelvo, seguro que vuelvo.

Esta edición de 2.000 ejemplares
se terminó de imprimir en
La Prensa Médica Argentina
Junín 845, Buenos Aires,
en el mes de octubre de 1994.